LUIS EDUARDO DE SOUZA

O Homem que Falava com Espíritos

São Paulo
2011

UNIVERSO DOS LIVROS

1ª edição – 5ª reimpressão

Diretor-Editorial: Luis Matos
Assistente-Editorial: Noele Rossi, Talita Camargo e Talita Gnidarchichi
Preparação: Juliana Mendes
Revisão: Fabiana Chiotolli e Jaqueline Félix
Arte: Fabiana Pedrozo e Stephanie Lin
Capa: Marcos Mazzei
Foto da Capa: Agência Estado

Dados Internacionais de Catalogação na Publicação (CIP)
(Câmara Brasileira do Livro, SP, Brasil)

S731h Souza, Luis Eduardo de.

O homem que falava com espíritos / Luis Eduardo de Souza. – São Paulo : Universo dos Livros, 2010.
176 p.

ISBN 978-85-7930-105-6

1. Espiritismo. 2. Xavier, Francisco Cândido (1910-2002). I. Título.

CDD 920.913391

Universo dos Livros Editora Ltda.
Rua Haddock Lobo, 347 • 12ºandar • Cerqueira César
CEP: 01414-001 • São Paulo • SP
Telefone: (11) 3217-2603• Fax: (11) 3217-2616
www.universodoslivros.com.br
e-mail: editor@universodoslivros.com.br
Siga-nos no Twitter: @univdoslivros

"Se um único homem alcançar o mais alto grau de amor, isso será suficiente para neutralizar o ódio de outros tantos."

Mahatma Gandhi

Sumário

Agradecimentos

Para a confecção deste livro foi usada como base a leitura da imprensa da época e dos livros que constam na bibliografia, os programas de televisão e documentários em DVD também constantes na bibliografia, e entrevistas com 34 pessoas nas cidades de Pedro Leopoldo, Uberaba e São Paulo. Agradeço a todos que me atenderam com boa-vontade e se dispuseram a dar seu depoimento sobre Chico; aos biógrafos, que documentaram em vídeo e texto, material extremamente valioso sobre Francisco Cândido Xavier. Em especial, destaco Carlos Baccelli, cujos livros foram fonte de inspiração inicial para esta obra, aos meus pais José Dagoberto e Benedicta por me introduzirem ao Espiritismo, a Pauline, por me incentivar a ir adiante com este trabalho, e a toda a equipe editorial e colaboradores da Universo dos Livros, que participaram da produção deste livro.

Apresentação

"Quem tem olhos de ver, veja. Quem tem ouvidos de ouvir, ouça"
Mateus 13:9

30 de junho de 2002, 19h30min. Seu filho adotivo, Eurípedes Higino dos Reis, ainda extasiado, como milhões de brasileiros, pela conquista do pentacampeonato de futebol ocorrido horas antes, vai até o quarto do médium para ver como ele estava. Encontra Chico desacordado e sem vida. Uma parada cardíaca levara de volta um dos maiores mitos da história do país.

Em Minas Gerais, estado em que nasceu, foi declarado luto oficial de 3 dias, e o que se sucedeu a partir dali foi uma comoção nacional. Mais de 150 mil pessoas foram até Uberaba dar o último adeus ao corpo velado no Grupo Espírita da Prece, centro espírita fundado na casa em que vivia.

Às 17h, o cortejo saiu do Grupo Espírita da Prece, levando o caixão de Chico Xavier em cima do caminhão do Corpo de Bombeiros. O desfile em carro aberto seguiu pelas ruas Segismundo Pereira, e pelas avenidas Edilson Lamartine Mendes e Nenê Sabino, até chegar ao Cemitério São João Batista.

O sepultamento ocorreu no dia 2 de julho, às 17h na quadra O, galeria 623.

Foi aplaudido por milhares de pessoas durante todo o enterro e trajeto até o cemitério, que se despediram do médium ao som das músicas "Canção da América" e "Nossa Senhora", umas das preferidas de Chico Xavier, que completaria 75 anos de trabalho mediúnico em julho de 2002.

O mito cumprira a sua missão e se tornaria imortal.

Francisco Cândido Xavier não foi uma pessoa comum. Não é do tipo que podemos compreender sem nos despojar de preconceitos. Ele viveu entre dois mundos. Não era só um grande médium, mas um sujeito extraordinário. Trazia um conhecimento especial da natureza humana. Parecia ler pensamentos e tinha referências impossíveis para uma pessoa comum.

Dizia receber tudo dos espíritos, mas, algumas coisas, pareciam de tal maneira automáticas, que certamente só poderiam ser explicadas pela influência decisiva de sua capacidade desenvolvida em existências anteriores.

Chico Xavier é, no mínimo, estranho, para quem não pôde conhecê-lo e não partilha ainda hoje dos conceitos que ele tanto divulgou, como a vida após a morte, a reencarnação, o mundo espiritual, a mediunidade, entre outros.

Mas torna-se menos compreensível ainda quando se analisa o homem, que poderia ter ganhado milhões em direitos autorais e doou tudo. Aquele que recebia doações de toda parte do país, mas que não ficava com nada. Pagava as contas com sua modesta aposentadoria.

Vendo a figura de Chico fica mais difícil ainda compreendê-lo. Um sujeito com ar tipicamente caipira, fisionomia simples, vestindo sempre um terno surrado e vivendo em uma casinha sem grandes riquezas.

Chico só é compreensível para quem entende que pouco sabe sobre a vida, sobre suas origens, e sobre a capacidade de um ser humano em amar ao próximo.

Ele certamente veio de outro planeta apesar de se parecer conosco fisicamente, seus modos, hábitos e reações eram totalmente diferentes.

Tivemos sua companhia aqui durante 92 anos. Neste período pudemos aprender algumas coisas, surpreender-nos com muitas outras, incompreendermos boa parte dos seus ensinamentos, mas o admiramos.

Um livro sobre Chico Xavier não pode ser lido e compreendido sem que o leitor se disponha a abrir o coração, pois a maior parte de sua biografia parece criada por dramaturgos ou escritores clássicos de ficção. Parece, muitas vezes, roteiro de filme de ficção científica.

Mas tudo está documentado. Assim, o legado deste homem para o país é indiscutível e certamente ele jamais será esquecido, pelo menos, enquanto existir alguma das milhares de pessoas que foram auxiliadas por ele, e dos milhões que tomaram conhecimento de sua vida.

Isso sem falar nos espíritos, que estiveram com ele, mas isto certamente pode transcender nossa capacidade de compreensão.

Prefácio

"Chico Xavier é meio estranho
pra quem não acredita em seu próprio coração."
Trecho de música interpretada por Fábio Júnior em homenagem a Chico

Francisco Cândido Xavier. Ninguém consegue ficar indiferente a esse nome. O maior médium de todos os tempos com mais de 430 livros publicados não somente é admirado pelos espíritas, mas também por pessoas de todos os segmentos religiosos, políticos e sociais – nacionais e internacionais – que viram a seriedade dos postulados que abraçara e exemplificara durante 92 anos de vida, sendo indicado, inclusive, para concorrer ao prêmio Nobel da Paz em 1981 e eleito o cidadão mineiro do século.

Fenômeno é um adjetivo constantemente usado para qualificar esse homem singular. Tendo cursado apenas o primário, escreveu centenas de livros e mensagens em vários idiomas. Poderia ter ficado rico, mas doou tudo o que ganhou em direitos autorais para instituições de auxílio ao próximo. Viveu, até o seu último dia, com o salário de sua aposentadoria, sem usufruir materialmente dos ganhos obtidos com suas obras.

Seu falecimento ocorreu no mesmo dia em que o Brasil festejava a conquista mundial no futebol em 2002, o que possibilitou-lhe voltar ao mundo espiritual sem muito alarde, colocando em prática até o último momento a humildade, maior característica desse espírito iluminado, que exemplificou em todos os momentos de sua vida os ensinamentos de Jesus, em especial aquele que dizia: "Quem deseja ser o maior, que seja o servidor e o menor de todos".

Acredito que Chico seja inspirador. Sua existência teve claramente o objetivo de exemplificar como é possível tornar o mundo melhor, combinando a inspiração para o modo simples de ser que ele pregava e sua sabedoria que se fazia visível em todas as situações.

Este livro que chega a suas mãos, não é somente uma biografia sobre a vida de Francisco Cândido Xavier. Seu objetivo principal é trazer a sabedoria dele para a nossa vida, ampliando as ideias guardadas em seus conselhos.

Ao conseguirmos colocá-las em prática, teremos desvendado a receita do bem viver para obter sucesso e felicidade. Assim, mais do que somente nos emocionar ao conhecer a vida deste homem, teremos a oportunidade de seguir seus passos e seus exemplos e, quem sabe, de nos tornarmos pessoas melhores, mais felizes, conseguindo sucesso em nossas relações pessoais, afetivas e profissionais.

Prólogo

"Conceda-me, Senhor, a serenidade necessária para aceitar as coisas que não posso modificar, coragem para modificar as que eu posso e sabedoria para distinguir uma da outra."
Emannuel, *psicografia de Chico Xavier*

Cem anos com Chico Xavier

O homem que conjugava o verbo Amar...

Francisco deixou exemplo.

Dignificou sua existência, servindo a Deus.

Desde cedo aprendeu a conjugar o verbo amar.

Usou sempre a terceira pessoa do plural, "nós".

Se fosse católico, seria santo. Mas nem precisava.

Como espírita, teve oportunidade de mostrar a todos como os ensinamentos do espiritismo estão próximos aos trazidos por Jesus.

Era simples. Desculpou-se por muitas coisas que não fez, colocou-se como o menor de todos, jamais respondendo a uma provocação.

Viveu, sentiu, amou, chorou. Foi amigo leal. Amigo incondicional.

Conselheiro, confidente, orientador...

Mostrou o lado mais positivo do ser humano.

Foi desprendido de qualquer apego material.

Usufruiu a vida sem precisar acumular bens.

Contentou-se com o essencial. Nunca lhe fizeram falta os bens que não acumulou.

Foi perseguido, injuriado, amaldiçoado por muitos que não o compreenderam.

Foi amado por uma multidão que o admirava.

Muitos dizem que o país já está esquecendo Chico Xavier, mas isso não é verdade.

Chico é inesquecível, insubstituível. O capim, que não terá outro igual.

Virão melhores, se tivermos sorte. Mas todos com um pedaço de dele, trazendo no coração as lições do Mestre.

Se Jesus foi o espírito mais iluminado a nascer no planeta, Chico foi a lâmpada que conseguiu projetar mais fortemente o brilho do Senhor.

Cem anos de nascimento de Chico. Um século de luz e exemplo que permanecerá em nossos corações e mentes por muito tempo, à espera, quem sabe, de um novo encontro com esse espírito de luz.

O que eu deveria ter aprendido com Chico Xavier?

"Deus nos concede, a cada dia, uma página de vida nova no livro do tempo. Aquilo que colocarmos nela, corre por nossa conta."
Chico Xavier

Esta é uma pergunta que me faço desde o lançamento da primeira edição do livro *O mestre Chico Xavier*, em 2006. Escrever sobre a vida de Chico Xavier e promover centenas de conferências sobre ele fizeram aumentar ainda mais meus questionamentos. Recordo sempre uma máxima jornalística que diz: "Deus está nos detalhes", ou seja, é na simplicidade, nas coisas aparentemente menos importantes que está o grande tesouro.

Pensando nisso é que parti em busca dos principais ensinamentos deixados por Chico, pensando encontrar aí o segredo para uma vida feliz.

A intuição para escrever sobre ele e todo o trabalho de pesquisa empreendido seria somente o mapa para me levar a esse tesouro, não seria o tesouro em si, como acreditava no momento em que coloquei ponto final no primeiro livro, quatro anos atrás.

Naquele momento, acreditava que a missão estivesse cumprida e que, mais do que isso, eu, que sempre fui avesso à ideia de publicar um livro, tinha ido mais além do que poderia imaginar, com o intuito de ajudar na divulgação dos exemplos desse verdadeiro mestre e contribuir com a obra social do Hospital do Fogo-Selvagem, em Uberaba, com a reversão de todos os direitos autorais para essa instituição.

Porém, desde o momento da publicação do livro comecei a questionar-me sobre o que deveria mudar na minha vida após tomar contato com os seus ensinamentos.

Chico Xavier é uma bússola para todo aquele que pretende aprender como bem viver, seja no campo profissional, afetivo ou pessoal. Durante sua vida distribuiu milhões de conselhos extremamente proveitosos para pessoas como nós, ansiosas por uma palavra que nos norteasse em momentos de grande indecisão.

Este livro, uma extensão do livro *O Mestre Chico Xavier*, não pretende ser uma biografia, pois muitos outros livros já se prestaram a esse importante serviço. Além de reforçar a lembrança sobre Chico, ele traz as lições deixadas por ele em vida e que poderão ser usadas por qualquer um de nós para encontrarmos o caminho para a real felicidade. Certamente após a leitura você terá condições de responder à questão: "O que eu devo aprender com Chico Xavier?"

O grande encontro

"De que nos vale conquistar o mundo inteiro e perder a nossa alma?"
Chico Xavier

Uberaba sem Chico?

Vinte e dois de abril de 2006. Um encontro adiado por muitos anos. Meu intuito ao chegar a Uberaba era me encontrar com Francisco Cândido Xavier. Isso mesmo, um encontro quatro anos após a sua morte. Esse encontro não seria físico, mas espiritual. Tinha certeza de que ao chegar à cidade e visitar os locais em que viveu o grande médium poderia entender um pouco mais esse fenômeno em todos os sentidos, e assim, quem sabe, trazer um pouco dos seus ensinamentos para minha vida. Afinal de contas, é para nos inspirar que Deus permite de vez em quando que espíritos iluminados nos visitem aqui no planeta e, sem dúvida, Chico Xavier foi um deles.

Visitando os locais por onde ele passou na cidade de Uberaba é impossível não sentir o quanto esse grande mestre está presente na vida das pessoas ali residentes. No Grupo Espírita da Prece, casa que ele fundou em 1975 em Uberaba, após deixar a Comunhão Espírita Cristã, tudo lembra Chico Xavier. Ao olhar para as flores na pracinha dentro do centro, vê-se, como que a sorrir, o grande mineiro nos convidando a seguir em frente e buscando cada vez mais nos inspirar com o exemplo deixado.

Nas sessões dirigidas por seu filho adotivo, Eurípedes Higino, é muito fácil sentir que seus ensinamentos ainda continuam presentes na mente de cada um dos participantes. Uma visita à casa em que ele viveu, agora transformada em museu, mostra a simplicidade em que vivia esse grande homem. Uma casa muito simples e pequena, um quartinho minúsculo com uma cama de solteiro e um guarda-roupa, uma cozinha bastante simples e uma sala com uma estante repleta de livros. Esse é o cenário encontrado. Mas essa simplicidade parece iluminada, sentimos como se essa vida simples fosse revestida de riquezas que poucos conseguissem apreciar.

Caravanas não param de chegar a Uberaba para visitar essa inspiradora cidade. Como ponto de parada obrigatória, o museu de Chico Xavier, o Grupo Espírita da Prece, o Lar Paulo e Estevão – em que o médium Carlos Baccelli recebe e transmite mensagens do Além – e o Centro Espírita Aurélio Agostinho, em que o médium Celso de Almeida Afonso também é responsável por levar a muitas famílias o consolo, por meio de mensagens de espíritos falecidos.

Outro ponto muito visitado é o famoso abacateiro em que ele se reunia com amigos todo sábado, para conversar, discutir trechos do Evangelho e auxiliar o próximo com a distribuição de alimentos aos carentes.

Com Chico inspirando muitas pessoas, o trabalho ainda persiste. Sempre há uma caravana de algum canto do país trazendo, em seu ônibus, mantimentos para serem distribuídos aos necessitados logo após as reuniões.

O lugar, nessa hora, torna-se mágico. O clima que envolve as pessoas ali é extremamente contagiante, mostrando claramente que eu estava certo em meu propósito. Encontrei Chico Xavier em cada rosto de necessitado ou de colaborador disposto a ajudar.

Graças a ele, Uberaba se tornou grande polo contando com dezenas de centros espíritas. Em cada esquina, alguém tem algum depoimento, alguma história para contar envolvendo essa figura *sui generis.*

Parece pouco, quando lembramos que Chico Xavier motivou milhões de pessoas a se converterem ao espiritismo no país.

Segundo o Instituto Brasileiro de Geografia e Estatística (IBGE), existem aproximadamente 3 milhões de espíritas no Brasil e 20 milhões de simpatizantes que professam o espiritismo como segunda religião.

Lição de fé

"A força mais potente do universo? – A fé."
Madre Teresa de Calcutá

Muitas vezes creditamos a conta de nossos insucessos às dificuldades que tivemos. Justificamos uma infância difícil e falta de oportunidade como razão para fracassos. Acreditamos que todos aqueles que ganharam destaque foram afortunados e tiveram seu resultado reforçado por experiências positivas.

É comum ouvirmos a lamentação: "Se ele tivesse passado o que passei...". Esse pensamento, muitas vezes, nos traz conforto à medida que terceirizamos nosso insucesso, tirando a culpa de nós mesmos.

Impossível não pensar na luta que Chico Xavier teve de empreender para chegar ao destaque que teve.

O maior médium psicógrafo do mundo nasceu em Pedro Leopoldo, modesta cidade de Minas Gerais, em 2 de abril de 1910.

Batizado como Francisco de Paula Cândido, por um erro de seu pai que, ao invés de ir ao cartório registrar a criança, solicitou a um amigo que o fizesse. O amigo, na ocasião, se confundiu com o santo do dia 2 de abril que é São Francisco de Paula, e acabou trocando o nome do garoto.

A confusão só foi percebida muitos anos depois quando Chico foi ingressar no serviço público como inspetor agrícola e precisou providenciar seus documentos. Ao chegar ao cartório ficou sabendo que não existia nenhum Francisco Cândido Xavier e que o filho do senhor João Cândido Xavier foi registrado na data com outro nome. Somente em 1965, seu nome foi modificado.

Filho de família humilde e numerosa, as provações de sua vida começaram com a idade de cinco anos, quando ficou órfão da mãe, D. Maria João de Deus, que faleceu deixando 9 filhos: Maria Cândida, Luíza, Carmozina, José Cândido, Maria de Lurdes, Francisco Cândido, Raymundo, Maria da Conceição e Geralda.

Cada uma das crianças foi entregue a um parente. Chico, por sua vez, foi obrigado a viver com a madrinha Rita, que lhe dava surras todos os dias.

Sua primeira experiência mediúnica completa foi uma conversa com o espírito de sua mãe, após a sua morte, que o aconselhara a ter muita paciência para suportar as provações que viriam.

Passando por grandes conflitos e muita dificuldade, o menino cresceu, tendo os espíritos como companheiros quase diariamente.

Com 4 anos de idade, ele já tinha tido uma pequena experiência mediúnica enquanto assistia a uma conversa entre sua mãe e seu pai a respeito de um nascimento prematuro ocorrido em uma casa vizinha. O pai, João Cândido, vendedor de bilhetes de loteria, que teve 15 filhos em dois casamentos, não conseguia entender o caso.

Chico nesta hora interrompeu a conversa e disse: "O senhor naturalmente não está informado sobre o caso. O que houve foi um problema de nidação inadequada do ovo de modo que a criança adquiriu posição ectópica".

João Cândido se assustou e disse à mulher que aquele filho não parecia deles, que deveria ter sido trocado na Igreja quando eles estavam na confissão. Virou-se para Chico e perguntou o que ele teria respondido. Chico disse que uma voz teria mandado ele dizer aquilo. João Cândido continuou desconfiado da maluquice do menino...

Em especial, Chico teve a companhia do espírito de sua mãe, com a qual pôde travar várias conversas que lhe foram bastante confortadoras. “Independente de o fenômeno ter ocorrido quando eu era muito criança, considero o reencontro com minha mãe desencarnada como o momento de maior emoção da minha vida”, relata.

Apesar de os espíritos entrarem sempre em contato com ele, o menino tinha muito receio de ser chamado de louco ao comentar com alguém as conversas que mantinha com almas de outro mundo.

Além de ouvir vozes, via figuras de outro mundo na igreja de Matosinhos, cidade vizinha de Pedro Leopoldo, e que ele ia diariamente. Durante a missa, via espíritos que frequentavam a igreja. Buscava então se confessar com o Padre Sebastião Scarzello do qual recebia severas penitências para deixar de ser mentiroso.

Certa vez, Chico dirigiu-se muito feliz à sua madrinha, dizendo que havia conversado com a mãe desencarnada. Foi o suficiente para receber uma grande surra. Ao saber que o menino continuava tendo visões de coisas e outro mundo, sua madrinha resolveu conversar sobre o assunto com o padre da região. Este, por sua vez, colocou como penitência que o garoto rezasse mil ave-marias com uma pedra de quinze quilos em cima da cabeça durante toda a procissão.

Outro fato que marcou a infância de Chico foi quando sua madrinha soube, por meio da receita de uma benzedeira, que a única maneira de curar a ferida infeccionada de seu filho era outra criança lamber a ferida durante três semanas seguidas, em completo jejum. Quando ficou sabendo que teria de cumprir essa penosa tarefa, o menino se desesperou e evocou sua mãe para que o socorresse. Acabou obrigado a cumprir essa ingrata tarefa, mas durante a penitência percebeu que o espírito de sua mãe jogava algo sobre a ferida, o que fez o jovem curar-se rapidamente.

Após viver dois anos com a madrinha, o calvário de Chico acabou. Seu pai, João Cândido Xavier, casou-se novamente com uma moça chamada Cidália Batista, que fez questão de reunir em sua casa os nove filhos do primeiro casamento de João. Assim, o menino Chico conseguiu livrar-se dos maus-tratos que sua madrinha lhe impusera, mas continuou tendo de conviver com as dificuldades financeiras.

Ele narrou assim os contatos que teve com sua mãe e seu apego em Jesus para suportar as provações:

Ao perder minha mãe, aos cinco janeiros de idade, conforme os próprios ensinamentos dela, acreditei n'Ele, na certeza de que Ele me sustentaria. Conduzido a uma casa estranha, na qual conheceria muitas dificuldades para continuar vivendo, lembrava-me d'Ele, na convicção de que era um amigo poderoso e compassivo que me enviaria recursos de resistência, e ao ver minha mãe desencarnada pela primeira vez, com o cérebro infantil sem qualquer conhecimento dos conflitos religiosos que dividem a Humanidade, pedi a ela que me abençoasse segundo o nosso hábito em família e lembro-me perfeitamente de que perguntei : – Mamãe, foi Jesus que mandou a senhora nos buscar? Ela sorriu e respondeu: – Foi sim, mas Jesus deseja que vocês, os meus filhos espalhados, ainda fiquem me esperando... Aceitei o que ela dizia, embora chorasse, porque a referência a Jesus me tranquilizava. Quando meu pai se casou pela segunda vez e a minha segunda mãe mandou me buscar para junto dela, notando-lhe a bondade natural, indaguei: – Foi Jesus quem enviou a senhora para nos reunir? Ela me disse: – Chico, isso não sei... Mas minha fé era tamanha que respondi: – Foi Ele sim... Minha mãe, quando me aparece, sempre fala que Ele mandaria alguém nos buscar para a nossa casa. E Jesus sempre esteve e está em minhas lembranças como um protetor poderoso e bom, não desaparecido, não longe, mas sempre perto, não indiferente aos nossos obstáculos humanos, e sim cada vez mais atuante e mais vivo.

Aos 8 anos de idade, Chico começa a estudar, passando a frequentar o Grupo Escolar São José, pela manhã. A tarde, saia às ruas diariamente para vender verduras e legumes produzidos na horta de sua casa, que era cuidada por sua madrasta Cidália Batista, e por seus irmãos José e Raimundo.

Dois anos após, seu pai começa a ficar muito preocupado e cogita interná-lo em um hospital para tratamento mental, pois ninguém entendia as visões que ele relatava. O garoto só não parou no hospital psiquiátrico, porque o padre da cidade lhe arranjara um emprego na companhia de fiação e tecelagem Cachoeira Grande. O menino saía da escola e ia para o trabalho, onde permanecia das 3 da tarde à meia-noite.

Chico e sua família sempre tiveram recursos financeiros muito escassos. Certa feita, ele trabalhava no armazém de José Felizardo recebendo mensalmente minguados 60 cruzeiros. Sua irmã lhe avisou que precisavam trocar a mesa da cozinha, que estava muito velha, além de não comportar todos os moradores da casa, e que, ficara sabendo de que a vizinha estava vendendo sua mesa velha por 15 cruzeiros. Conversando com a vizinha, ele recebeu a proposta de pagá-la em 15 vezes de 1 cruzeiro cada. E assim o negócio foi fechado.

Não raro a família passou muita necessidade, mas Chico sempre se contentou com o pouco que tinha, e, mais do que isso, ainda dividia esse pouco com todos que precisassem de ajuda. Anos após, Chico descreveu essas dificuldades da seguinte maneira:

> *Passei fome, passei frio... Em Pedro Leopoldo sempre fez muito frio, ventava muito... A nossa casa não era forrada...,às vezes, a gente não tinha o que comer, era somente uma panela no fogão. Mas ninguém em casa morreu por causa das privações que passávamos. A gente comia só arroz e chuchu. De vez em quando uma mandioca ou ovo, carne era muito difícil... Caso tivéssemos tido muita comida em casa, eu iria me empanturrar, pois sempre gostei de comer.*
> *Como seria capaz de dar comunicações de espíritos com a minha barriga cheia, se me sobravam somente os horários do almoço para escrever? Penso que tudo o que passei na vida tinha uma razão de ser, o meio aparentemente adverso em que renasci foi-me de grande valia para cumprir minha missão.*

Os fenômenos espirituais não paravam de acontecer na vida do garoto.

Em 1922, aos 12 anos, Chico ganha o prêmio máximo em um concurso literário promovido entre as escolas públicas de Minas Gerais. Sua redação teve como tema central a Independência do Brasil.

Na época, Chico afirmava para os colegas de classe que o texto tinha sido ditado em sala por um homem que somente ele via. Sua professora não acreditou no que falava e, para deleite dos colegas de classe, propôs que Chico fosse à lousa para escrever um novo texto na frente de todos sob um tema que seria proposta na hora. Um colega de sala propôs o tema "grão de areia", e, ante à incredulidade da classe, Chico redigiu a seguinte frase: "Meus filhos, ninguém escarnece da criação. O grão de areia é quase nada, mas parece uma estrela pequenina refletindo o sol de Deus". Ficaram todos calados.

Na adolescência, por volta dos 15 anos, começam a aparecer os primeiros males de saúde. Ele desenvolveu um problema nos pulmões devido à poeira gerada pelo algodão da tecelagem, o que o obriga a deixar o emprego na fábrica e, então, começa a trabalhar como auxiliar de cozinha no bar Dove, passando, após breve período de tempo, a trabalhar como atendente e auxiliar de serviços gerais no empório de José Felizardo Sobrinho, ex-marido de sua madrinha Rita.

Desde os 8 anos de idade, trabalhava para ajudar no sustento da família, tendo sido operário de uma fábrica de tecidos, auxiliar de serviços gerais, servente de cozinha, caixeiro de armazém e, por último, inspetor agrícola, aposentando-se como funcionário público, por invalidez, devido a uma doença incurável nos olhos.

Todas essas dificuldades não fizeram com que ele desanimasse. Muito pelo contrário, foram excelentes instrumentos de aprendizado e ajudaram-no a cumprir seu destino. Dizia:

> *Agradeço todas as dificuldades que enfrentei; não fosse por elas, eu não teria saído do lugar... As facilidades nos impedem de caminhar. Mesmo as críticas nos auxiliam muito.*

Chico Xavier sempre suportou com resignação as provações pelas quais teve de passar. Desde criança, teve vários problemas de saúde. Até a juventude, seu corpo ainda resistia. Porém, com o passar dos anos, suas defesas foram diminuindo, e ele desenvolveu angina e labirintite crônica, agravadas por dois infartos e duas pneumonias. Teve também uma doença complexa nos olhos: o deslocamento do cristalino que, somado ao estrabismo da vista direita, o incomodavam muito.

No entanto, mesmo com as doenças, continuou dando provas de sua humildade e mostrando que não aceitaria nenhum tipo de privilégio, recusando, em 1969, uma oferta do médium Zé Arigó, que desejava operá-lo espiritualmente. Na época, Chico afirmou que a doença era uma provação que ele deveria suportar.

Quando eu estava para me operar, em 1968 de um tumor na próstata, o Zé Arigó mandou me avisar que ele estava pronto para realizar a operação espiritual. Eu lhe respondi: "Como é que eu ficaria diante de tanto sofredor que me procura e que vai a caminho do bisturi, como o boi vai para o matadouro. E eu, sabendo disso, vou querer facilidades? Eu tenho é que me operar como os outros, sofrendo como eles".

Ele estava só colocando em prática o que Emmanuel lhe ensinara anos antes. Ainda no tempo em que morava em Pedro Leopoldo, em uma época em que sua saúde ficou bastante fragilizada, Chico, inconformado com a ideia de morrer, orou a Emmanuel que o recebesse bem no plano Espiritual.

Enquanto iniciava suas orações, a figura do instrutor se fez presente para ele, que ouviu a seguinte frase: "Não posso auxiliá-lo, Chico. Tenho muito o que fazer. Mas, se você acha mesmo que chegou a sua hora, então recorra aos amigos do Centro Espírita Luiz Gonzaga. Você não é melhor do que ninguém".

Essa foi uma lição que exemplificou durante sua vida. Anos depois, quando questionado sobre o porquê de não receber ajuda dos guias espirituais como Bezerra de Menezes, Emmanuel, Meimei e André Luiz que trabalhavam com ele, Chico, com 86 anos na época, respondeu:

Graças a Deus eu não recebo privilégio algum, a mediunidade não é minha, e eu não sou melhor do que ninguém. Essa vida tão longa e tão difícil é um ensinamento de que necessito, porque se eu chegar à vida espiritual, breve como espero, e um instrutor me perguntar: – Chico, você nunca teve moléstia grave, e que durasse longo tempo?, eu vou responder: – Sim, fiz 80 anos e recordo que nesta época começou a defasagem do meu corpo físico, mas isso é muito natural em qualquer pessoa, especialmente na pessoa idosa.

É algo gradual de que necessito para não ficar envergonhado no Além quando eu chegar à convivência dos nossos irmãos já desen-

carnados, eu não quero sentir a vergonha de nunca ter sofrido. Mas, para mim, isso não é verdadeiramente sofrimento.

A partir de 1995, a frágil saúde começou a piorar após um enfisema pulmonar, que o deixou bastante debilitado e preso a uma cadeira de rodas. Durante seu tratamento, foi assistido pelo médico e amigo Dr. Eurípides Tahan.

Chico Xavier nunca gostou de hospital, tanto é que um cartório em Uberaba tinha um documento assinado por ele pedindo para jamais ser internado. Em 2001, já nos seus últimos tempos de vida no planeta, aconteceu algo extremamente inusitado. Cinco dias após ser internado em um hospital, uma imagem fez da recuperação do médium um mistério. Um raio luminoso veio do alto em direção à janela de Chico Xavier. Essa cena foi gravada às 9 horas da manhã de sábado do dia 30 de junho de 2001. Dez minutos depois, o médico que cuidava dele constatou que o paciente, que estava em estado terminal, começou a melhorar muito rapidamente e, pouco tempo depois, teve alta.

A imagem deste raio luminoso até hoje intriga todos aqueles que assistem ao vídeo, e ainda não se teve uma explicação clara sobre o fato. Quando questionado sobre o assunto, Chico evitou polemizar e respondeu sucintamente de que a luz era a sua mãe, que esteve em seu quarto durante a internação lhe aconselhando que tivesse paciência. Eram seus últimos tempos de vida e ele teria que completar sua missão.

Apesar de todas as dificuldades, Chico manteve sempre a serenidade e a disposição para o trabalho, participando das sessões no centro, visitando casas assistenciais e psicografando até seus últimos anos. O amigo Geraldo Lemos Neto relata:

> *O que mais nos surpreendia, era sua boa disposição, sua alegria contagiante. Por várias vezes encontrei Chico acamado e julgava que naquele final de semana não teríamos reunião justamente pelo seu estado de saúde. E, no entanto, uma hora antes da reunião ele levantava e parecia outra pessoa, extremamente bem disposto e decidido a servir em nome de Jesus.*

Da próxima vez que formos nos queixar das dificuldades que enfrentamos, por que não nos lembrarmos das provações pelas quais Chico passou e do quanto ele lutou para cumprir sua missão?

A fé do médium era a toda prova. Em um momento de grande dificuldade, ele perguntou a Emmanuel se havia possibilidade de interceder às esferas superiores para que Maria de Nazaré trouxesse algum conselho para ele enfrentar aquela dificuldade. Chico recebeu a seguinte mensagem de Maria: "Isso também passa". Essa frase deu-lhe novo ânimo, e ele fez questão de escrevê-la em um papel para que nunca se esquecesse disso.

Sempre que passava por uma situação de dificuldade, ele se lembrava do ensinamento "tudo passa" e ganhava novo ânimo para enfrentar aquela adversidade, sabendo que deveria passar por aquela situação, mas que o sofrimento era opcional.

Em sua vida, Chico teve de dar muito testemunho de fé na sua capacidade e principalmente no auxilio prestado por esses espíritos.

Uma das histórias que contava aconteceu na ocasião da morte de seu irmão José Xavier. Neste período, ele herdou uma dívida de 11 cruzeiros, por falta de pagamento de conta de luz. Sem saber como pagar a dívida, Chico questionou Emmanuel que lhe disse para ter calma, confiar e esperar, sem se preocupar muito com isso.

Passados alguns dias, um homem bate-lhe à porta, perguntado se ele era o Chico Xavier. O homem disse então que ficou sabendo da morte de José e queria entregar o pagamento por uma bainha de faca que ele havia feito tempos atrás. Quando Chico abriu o envelope, para seu espanto, havia exatamente 11 cruzeiros no seu interior, dinheiro este que foi usado para saldar a dívida. Chico nunca mais conversou com os espíritos sobre a necessidade de recursos financeiros. Sempre que estava em dificuldade, simplesmente não se preocupava, acreditando que a ajuda viria se fosse necessária, passando assim, a confiar totalmente na providência divina.

Mas os testemunhos de fé não se resumiram somente a coisas mais simples. Em 1944, por exemplo, aconteceu um fato *sui generis* no Direito brasileiro. Ele foi processado pela viúva e pelos três filhos do escritor Humberto de Campos, detentores dos direitos autorais do escritor, que tinha seu nome na capa de cinco obras psicografadas por Chico Xavier. Os familiares exigiam o pagamento de direitos autorais, uma vez que o autor continuava escrevendo do Além.

No decorrer do processo movido pela família de Humberto de Campos, Chico, então com 34 anos, temeu muito com a possibilidade de ser preso. Após receber uma convocação para depor, ele entrou em pânico e rogou a Deus que o protegesse, chegando até a pedir que, se tivesse que ficar preso, que fosse em Belo Horizonte e não no Rio de Janeiro, pois julgava que na primeira cidade, o povo já o conhecia e ele seria mais bem tratado.

Emmanuel, vendo o desespero de Chico asseverou: "Meu filho, você é uma planta muito fraca para suportar a força das ventanias... Tem ainda muito que lutar para um dia merecer ser preso e morrer pelo Cristo".

Chico entendeu o recado e se acalmou um pouco no decorrer do processo.

Nesta época, Chico recebeu a visita de um senhor idoso que pediu ao médium que desse uma receita para um parente que estava muito mal de saúde. Chico anotou os dados do doente e se concentrou para redigir a receita. Neste momento, recebeu uma intuição, inspirada por Emmanuel, pedindo para que ele tivesse muito cuidado com os pedidos de receita. Além disso, o espírito pediu ainda que ele escrevesse um bilhete dizendo que o doente não precisava de remédios, mas de preces, pois já estava desencarnado.

O homem, ao ler aquilo, saiu correndo apavorado. Ele e outros amigos tentavam preparar uma armadilha para Chico com a ideia de anexar a receita ao processo de Humberto de Campos e acusar Chico de exercício ilegal da medicina.

O processo teve extensa cobertura da imprensa, que na oportunidade, fez uma profunda análise da obra do médium, buscando identificar indícios de que não pertenciam a quem as assinara. Todas as investigações feitas por especialistas em literatura apontaram que o estilo do texto era exatamente o mesmo de Humberto de Campos.

Nesse período, muitos foram os críticos e escritores que deram parecer sobre sua obra. Um deles foi Monteiro Lobato, que na ocasião, afirmou: "Se Chico Xavier produziu tudo aquilo por conta própria, então, ele pode ocupar quantas cadeiras quiser na Academia Brasileira de Letras".

Já o escritor Menotti Del Picchia se expressou sobre o caso da seguinte maneira:

> *Deve haver algo de divindade no fenômeno Francisco Cândido Xavier, o qual sozinho, vale por toda uma literatura. E que o milagre de ressuscitar espiritualmente os mortos pela vivência psicográfica de inéditos poemas é prodígio que somente pode acontecer na faixa do sobre-humano. Um psicofisiologista veria nele um monstruoso computador de almas e estilos. O computador, porém, memoriza apenas o já feito. A fria mecânica não possui o dom criativo. Esta emana de Deus. Francisco Cândido Xavier usa a centelha imanente em nós.*

A decisão do juiz determinou que o direito autoral só fosse protegido para produções feitas pelo autor em vida. Assim os familiares não tinham o direito de reivindicar o pagamento de direitos autorais pelos textos psicografados por Chico Xavier.

Porém, visando a evitar novos problemas, no ano seguinte Humberto de Campos passou a adotar o pseudônimo de Irmão X nas obras que ditava ao médium.

Em maio de 1976, em Goiânia, ocorreu uma das mais impressionantes histórias de Chico Xavier. Na oportunidade, o juiz aceitou o depoimento de um morto e absolveu o acusado.

José Divino Nunes estava na casa do amigo Maurício Garcês conversando e ouvindo música. Após encontrar o revolver do seu pai, Mauricio o entrega a José Divino, que começa a brincar com a arma. Pouco tempo depois, José dispara o revólver por acidente matando o amigo inseparável.

Os pais de Mauricio não se conformam com a morte do filho, e, mesmo não sendo espíritas vão até Chico Xavier. Lá, mas exatamente a 27 de maio de 1978, eles recebem do médium a primeira carta psicografada pelo filho, que diz para eles perdoarem José Divino, pois ele não teve culpa pelo ocorrido:

O José Divino nem ninguém teve culpa em meu caso. Brincávamos a respeito da possibilidade de ferir alguém pela imagem no espelho. Sem que o momento fosse para qualquer movimento meu, o tiro me alcançou, sem que a culpa fosse do amigo ou minha mesmo. O resultado foi aquele. Se alguém deve pedir perdão sou eu mesmo, porque não devia ter admitido brincar em vez de estudar. Estou vivo e com muita vontade de melhorar.

Os parentes, que a princípio queriam a condenação do amigo do filho, acabam concordando com o seu desejo, expressado na carta.

Essa carta psicografada por Chico chegou às mãos do juiz da 6ª Vara Criminal da Comarca de Goiânia, Dr. Orimar de Bastos, que acabou por absolver o acusado, concluindo:

Temos que dar credibilidade a mensagem psicografada por Francisco Cândido Xavier, anexada aos autos, na qual a vítima relata o fato e isenta de culpa o acusado, discorrendo sobre as brincadeiras com o revólver e o disparo da arma. Este relato coincide com as declarações prestadas pelo acusado José Divino, quando do seu interrogatório.

A carta foi aceita como prova legal, pois um laudo grafotécnico atestou que a assinatura do falecido era exatamente igual a que ele tinha em vida. Em seguida, o Tribunal de Justiça revogou a sentença e o réu foi a julgamento novamente, sendo absolvido pelo júri popular, em junho de 1980, por seis votos a um.

Chico esteve às voltas com a justiça em duas outras oportunidades. Na primeira delas, em 1982, uma carta psicografada pelo morto, o então deputado federal Heitor Alencar Furtado foi usada pela defesa para inocentar o policial José Aparecido Branco, conhecido como Branquinho, da acusação de assassinato doloso (em que o assassino tem a intenção deliberada de matar). O juiz concluiu que o disparo fora acidental.

No ano de 1985 foi a vez do bancário Francisco João de Deus usar uma psicografia de Chico Xavier para tentar comprovar que o tiro que matou sua esposa, a ex-miss Campo Grande, Gleide Dutra de Deus, fora disparado por ele acidentalmente. O veredicto da justiça foi pela absolvição de Francisco.

Porém, houve uma vez em que Chico foi parar atrás das grades. Ele foi representar a cidade de Pedro Leopoldo em uma exposição estadual que acontecia na cidade de Curvelo, interior de Minas Gerais. Chegando lá, ele foi confundido com um ladrão que supostamente teria assaltado uma casa, e acabou preso.

Antes que ele pudesse reagir, Emannuel lhe aconselhou a aceitar tudo por amor a Jesus. E afirmou que, enquanto eles o prendiam, receberiam o devido auxílio para que pudessem apurar a verdade. Pediu, ainda, que testemunhasse sua crença.

Dr. Rômulo Joviano, então chefe de Chico Xavier na fazenda modelo, chegou à cidade e notando a falta dele, foi dar parte na delegacia.

Lá, acabou reconhecendo o médium, e tratou de esclarecer que ele não era o ladrão procurado. Os políciais acabaram descobrindo que não houve crime algum e que toda a história era um lamentável engano. Chico passou algumas horas preso e teve oportunidade de testemunhar sua crença, conforme a orientação de Emmanuel.

Lição de simplicidade

"Quem quiser ser o maior, seja o menor de todos."
Mateus 20:26

Partirei desta vida sem um níquel sequer...
Tudo que veio a mim, em matéria de dinheiro, simplesmente passou por minhas mãos.
Graças a Deus, a minha aposentadoria dá para os meus remédios...
Roupas?! Os amigos, quando acham que eu estou mal vestido, me doam...
Sapatos, eu custo a gastar um par...
Em casa, a nossa comida é simples...
Não tenho conta bancária, talão de cheques, nenhuma propriedade em meu nome, a não ser esta casa que eu já passei em cartório para outros, tenho apenas o usufruto...
Nunca tive carros, nem mesmo uma carroça...
De modo que, neste sentido, nada vai me pesar na consciência.
Fiz o que pude pelos meus familiares, e se não fiz mais, é porque mais eu não podia fazer...
Nunca contei o dinheiro que trazia no bolso, mesmo aquele que alguns amigos generosos colocavam no meu paletó...

Quanto a mim sou apenas médium e médium muito falho. E os médiuns seguem-se uns aos outros perante o tempo. Não me sinto em tarefa especial que exija um continuador específico. O trabalho que me foi entregue, poderia ter sido entregue a qualquer outro médium. Eu não receio ter necessidade de ter substituto, pois me sinto com uma grama, quando uma desaparece, outra vai surgindo.

Um iluminado?
Não, uma tomada entre dois mundos.
Porta-voz de Deus?
Uma besta encarregada de transportar documento dos espíritos.
Apóstolo?
Não, Cisco Xavier.
Sucessores?
Morre um capim, nasce outro.

O depoimento anterior dado por Chico e suas respostas aos questionamentos feitos resumem bem quem foi esse homem que não se deixou levar pela fama, mas manteve-se sempre como um simples trabalhador que não cumpria mais do que a sua obrigação, exercitando, até o último momento, a humildade, característica principal desse espírito iluminado.

O mais impressionante é que, com a fama, notoriedade e projeção nacional que teve, Chico sempre se manteve extremamente humilde, vivendo em sua casinha simples em Uberaba, com total desapego de bens materiais e sempre colocando-se à disposição de quem estivesse precisando de ajuda.

Como seria possível seguir o exemplo de Chico, deixando de lado todo egoísmo e ganância? Certa vez, ao receber esse questionamento, ele respondeu de maneira muito simples:

"– Conhece-te a ti mesmo."

Essa frase, trazida pelos espíritos a Allan Kardec durante a redação de *O livro dos espíritos* e que simboliza o primeiro passo para a transformação que todos devem empreender, foi por diversas vezes reproduzida por Chico.

O primeiro a proferir essa frase foi o filósofo Sócrates, tomando a inscrição do templo de Apolo, em Delfos, na antiga Grécia, como inspiração.

Sócrates afirmava com essa frase a importância de nos ocuparmos com nós mesmos, deixando de lado pensamentos em coisas como riqueza e poder, questionando assim os valores da sociedade ateniense e vivendo como um sábio, exemplificando a característica da humildade.

A maioria de nós, infelizmente, não conhece e nem compreende a origem de nossos pensamentos e comportamentos. Não sabe quais são nossas principais virtudes e defeitos. E, muitas vezes, preferimos negar quando alguém nos aponta algum defeito ou simplesmente diz que temos ciúme, somos arrogantes, invejosos, mesquinhos ou qualquer outra coisa que nos desagrade.

Em uma ocasião, Chico ganhou de presente um belo piano. Ao receber o presente, ele, que sempre foi avesso a receber qualquer regalo, se entusiasmou. Nutria no seu íntimo o desejo de se tornar um pianista encantado pelo som do instrumento.

Ao receber o instrumento resolveu contratar uma professora particular para ensiná-lo a tocar. Marcou a primeira aula. Porém, no dia combinado começaram a chegar muitas pessoas ao centro para receber atendimento. A todos que chegavam, Chico explicava que não trabalharia naquele dia, pois iniciaria suas aulas de piano e convidava as pessoas a ficarem por ali. Mas o número de pessoas que chegavam ao centro naquele dia era maior do que de costume...

Quando a professora chegou, ele sentou-se em frente do instrumento para receber a aula. Neste instante, notou a presença de Emannuel, seu guia espiritual, que com um semblante muito sério o questionou se aquilo seria algum tipo de festa.

Chico, ligeiramente desconcertado, respondeu ser uma aula de piano, que estava iniciando. Emmanuel, sem pestanejar, o questionou se todas aquelas pessoas que ali estavam necessitadas de auxilio não seriam ajudadas por ele.

O médium, neste momento já totalmente envergonhado, pediu desculpas a professora e dispensou seus serviços, iniciando na sequência o atendimento aos necessitados. O piano acabou sendo doado para uma instituição e o tempo precioso de Chico voltou a ser dedicado a todos os que o procuravam.

"Nós erramos muitas vezes e devemos dar graça à providência divina de encontrarmos amigos que nos advirtam e cheguem até mesmo a nos repreender para que alcancemos um conhecimento mais seguro a cerca de nós mesmos", falava Chico Xavier a respeito de buscar o autoconhecimento a partir da opinião alheia.

Ele certamente se conhecia, sabia de suas limitações e, por vezes, lutou contra elas. Conhecia também aqueles que o procuravam. Sua extraordinária mediunidade o permitia adentrar no íntimo de cada um, conhecendo claramente seus pontos positivos e negativos. Era comum, por exemplo, ele chamar uma pessoa pelo nome sem nunca tê-la visto ou recebido informações de antemão sobre ela.

Celso de Almeida Afonso, um dos principais médiuns residente na cidade de Uberaba, narra o primeiro contato com Chico Xavier, ocorrido quando tinha apenas 16 anos de idade:

> *Eu considero esse encontro como a minha porta de Damasco. (Referência à aparição de Jesus Cristo para Paulo de Tarso que simbolizou o momento de sua conversão ao Cristianismo.) A partir daquele momento houve modificações na minha vida que me ajudaram no meu equilíbrio. O que é interessante é que eu não tinha vontade de conhecer Chico Xavier. Eu tinha muito medo do Espiritismo. Mas acabei indo lá, entrei, sem cumprimentá-lo, e fiquei de costas para ele. Então, ouvi uma senhora pedir-lhe um autógrafo. Chico respondeu: – Somente se o nosso Celso emprestar a caneta. – Ele nunca tinha me visto. Eu me virei e lhe disse:*
> *– O senhor está falando comigo? Nisso, ele respondeu simples:*
> *– Sim, meu filho, você não tem uma caneta para me emprestar?*
> *Aquela criatura me envolveu com o magnetismo dele. Eu não gosto de endeusar as pessoas, mas Chico para mim é uma pessoa excelente, é um caminho.*

Relatos como este de conhecimento prévio de nomes e informações sobre quem o visitava, sem nunca ter visto a pessoa ou recebido dados sobre ela, são extremamente comuns na vida de Chico.

Por meio desse conhecimento, ele podia aconselhar melhor cada um. Nos conselhos, sempre ressaltava a questão da humildade, que praticava em todos os momentos:

> *Se Jesus Cristo, o mais iluminado espírito a encarnar no planeta, exemplificou a humildade nascendo como um simples filho de carpinteiro e deixando de lado qualquer ambição material, por que nós ainda somos tão arrogantes em alguns momentos?*

Quando Mahatma Gandhi foi questionado por um jornalista sobre o perdão, ele se saiu com a seguinte resposta: "Eu nunca perdoo, pois não tenho a necessidade de fazer isso. Nunca me sinto ofendido por alguém e, assim, jamais tenho por que perdoar".

Gandhi, assim como Chico, era um exemplo de humildade e simplicidade.

Uma ingênua passagem demonstra o grau de simplicidade do médium. Ao mudar-se para Uberaba, ele passou a cultivar uma pequena horta em sua simples casinha. Porém, em pouco tempo a horta ficou infestada de formigas, que começaram a estragá-la.

Chico resolveu então "conversar" com as formigas, dizendo para elas que precisavam ser mais piedosas, mais compreensivas, pois estavam tirando alimento de quem precisava. Convidou-as a se mudarem para o terreno ao lado, para ficarem em um gramado em que elas poderiam viver, e disse que, se em três dias elas não o fizessem, ele tomaria medidas enérgicas.

Não precisou esperar. No outro dia, ficou somente uma formiga. Quando questionado sobre a causa de aquela formiga ter ficado, ele respondeu, com simplicidade e bom-humor: "Trata-se naturalmente de uma subversiva...".

Em outra ocasião ele foi convidado por amigos para uma pescaria. Após recusar o convite e, ante a insistência dos amigos que julgavam que ele só trabalhava e precisava descansar um pouco, o médium aceitou o convite.

Porém, os amigos se surpreenderam durante a pescaria não só pelos fenômenos mediúnicos que presenciaram lá, mas, especialmente, porque Chico não pescava nada. Os peixes mordiam as iscas dos amigos e, no caso dele, nada acontecia.

Ao estranharem a situação, resolveram questioná-lo a respeito. Ele esclareceu que aceitara o convite para pescar, mas não queria incomodar os peixes e, por isso, não tinha colocado isca em seu anzol.

Outro exemplo de humildade e simplicidade foi dado em uma noite em que um ladrão pulou o quintal da casa de Chico e roubou toda a roupa que estava no varal. Suas irmãs ficaram muito assustadas. No dia seguinte ele recolheu todas as roupas que encontrou pela casa e montou uma trouxa com elas.

Muitos pensaram que ele iria se mudar com medo do ladrão. Porém, ele colocou a trouxa junto ao varal com um bilhete que dizia: "Meu amigo: estas são as roupas que pude arranjar. Peço-lhe o favor de não assustar mais minhas irmãs com o barulho que fez noite passada".

No outro dia a trouxa desapareceu, mas o ladrão nunca mais retornou. Assim era Chico Xavier.

Em 1919, sua madrasta Cidália Batista tinha que se ausentar constantemente da casa para buscar lenha. Nestas ausências ela reparou que começou a sumir verduras de sua horta e percebeu que quem as roubava era a vizinha.

Sem saber exatamente o que fazer, pediu para Chico pedir um conselho ao espírito de sua mãe falecida, já que não tinha coragem de falar diretamente com a vizinha.

O menino questionou sua mãe durante o encontro que eles tinham regularmente no quintal e ela o aconselhou a entregar a chave à vizinha para que esta tomasse conta da casa. Assim, ela sendo a responsável pela casa, não teria coragem de continuar roubando a horta. Sábio conselho...

Mesmo tendo estudado pouco, ele era um amante dos livros. Sempre que ia a Belo Horizonte fazia questão de ir a alguma livraria, local em que conversava com vendedores que já o conheciam de longa data.

Certa ocasião, porém, uma das livrarias que Chico frequentava havia contratado um novo funcionário. Aloísio, recém-chegado à livraria, era um leitor voraz dos livros de Chico Xavier e havia confidenciado aos demais o sonho de conhecer o médium pessoalmente.

No momento em que Chico entrou na loja, logo os outros funcionários foram avisá-lo sobre o desejo que Aloísio tinha de conhecê-lo.

Chico então vai ao seu encontro. Porém, quando Aloísio o vê vestido com um terno surrado, todo humilde, olha para os demais funcionários e para o homem que estava à sua frente e diz. "Quem dera que você fosse o Chico Xavier". E, ele, compreendendo que o rapaz não conseguirá associar a imagem de Chico à aquela figura simplória, respondeu: "É verdade, meu irmão, quem dera eu fosse ele...".

Para entender um pouco da simplicidade desse espírito, basta nos atermos ao teor deste discurso, proferido por Chico ao completar quarenta anos de mediunidade.

> *Estes quarenta anos de mediunidade passaram para o meu coração como se fossem um sonho bom. Foram quarenta anos de muita alegria, em cujos caminhos, feitos de minutos e de horas e de dias, só encontrei benefícios, felicidade, esperanças, otimismo, encorajamento da parte de todos aqueles que o Senhor me concedeu, dos familiares, irmãos, amigos e companheiros. Quarenta anos de felicidade que agradeço a Deus em vossos corações, porque sinto que Deus me os concedeu nos vossos corações, que representam outros muitos corações que estão ausentes de nós. Agora, sinto que Deus me concedeu por vosso intermédio uma vida tocada de alegrias e bênçãos, como eu não poderia receber em nenhum outro setor de trabalho na humanidade. Beijo-vos, assim, as mãos, os corações. Quanto ao livro, devo dizer que, certa feita, há muitos anos, procurando o contato com o espírito de nosso benfeitor Emmanuel, ao pé de uma velha represa, na terra que me deu berço na presente encarnação, muitas vezes chegava ao sítio, pela manhã, antes do amanhecer. E quando o dia vinha de novo, fosse com sol, fosse com chuva, lá estava, não muito longe de mim, um pequeno charco. Esse charco, pouco a pouco se encheu de flores, pela misericórdia de Deus, naturalmente. E muitas almas boas, corações queridos, que passavam pelo mesmo caminho em que nós orávamos, colhiam essas flores e as levavam consigo com transporte de alegria e encantamento. Enquanto que o charco era sempre o mesmo char-*

co. Naturalmente, esperando também pela misericórdia de Deus, para se transformar em terra proveitosa e mais útil. Creio que nesses momentos, em que ouço as palavras desses corações maravilhosos, que usaram o verbo para comentar o aparecimento desses cem livros, agora cento e dois livros, lembro este quadro que nunca me saiu da memória, para declarar-vos que me sinto na condição do charco que, pela misericórdia de Deus, um dia recebeu essas flores que são os livros e que pertencem muito mais a vós outros do que a mim. Rogo, assim, a todos os companheiros, que me ajudem por meio da oração, para que a luta natural da vida possa drenar a terra pantanosa que ainda sou, na intimidade do meu coração, para que eu possa um dia servir a Deus, de conformidade com os deveres que a Sua infinita misericórdia me traçou. E peço, então, permissão, em sinal de agradecimento, já que não tenho palavras para exprimir a minha gratidão. Peço-vos, a todos, licença para encerrar a minha palavra despretensiosa, com a oração que Nosso Senhor Jesus Cristo nos legou.

(Fonte: *O espírita mineiro*, número 137, abril/maio/junho de 1970.)

Chico Xavier não se casou, não teve filhos, não possuía bens em seu nome, nada tinha de material a não ser seu corpo físico. Foi celibatário por vontade própria durante toda a sua vida, nunca tendo namorado. Achava que isso poderia comprometer o foco que tinha em sua missão.

Seu pai nunca aceitou isso. Certo dia, ele pediu para um amigo convidar o filho para passear. Chico aceitou e saíram às ruas. De repente, pararam em frente a uma casa e entraram. Era um bordel.

Ao chegar lá, o amigo presenciou a cena mais estranha de sua vida. Chico foi rapidamente reconhecido pelas prostitutas, que já conheciam os trabalhos sociais promovidos por ele.

Comovidas com a presença dele, elas encerraram o expediente do dia e se colocaram a rezar junto ao médium. Foi a primeira sessão espírita ocorrida em um bordel.

O amigo do pai de Chico, que esperava ajudá-lo na sua iniciação sexual, ficou sem saber o que fazer com aquela cena que presenciava.

Um dos casos mais comentados dele e que demonstra claramente sua natureza celibatária foi em um evento no qual ele foi apresentado a filha do embaixador da Argentina.

A moça ficou encantada com Chico e não desgrudou dele durante toda a festa. Depois disso passou a frequentar os trabalhos no centro. Um dia, quando o médium entrou na câmara de passes, ela entrou junto e declarou-se.

Chico afirmou que não se julgava ser algo pelo qual valeria sofrer e não tinha pretensão nenhuma de casamento, nem de se envolver com alguém, por conta de suas obrigações espirituais. Porém, a moça disse que se apaixonou imediatamente pela voz de Chico, e ele respondeu que, na verdade, ela tinha se apaixonado pela voz de Emmanuel que falava por intermédio dele.

Algum tempo depois, Chico recebeu uma carta diretamente do embaixador da Argentina dizendo que sua filha estava apaixonada por ele e que fazia votos de que se casassem, mesmo sabendo que ele era um homem sem recursos financeiros e de cor, mas como ele sempre fazia às vontades da filha, estava disposto a ajudar-lhe financeiramente.

Chico respondeu educadamente que não poderia aceitar a proposta, pois não tinha tempo para se dedicar aos relacionamentos, pois estava altamente comprometido com os trabalhos que a espiritualidade lhe reservara.

Com mais de 30 milhões de exemplares vendidos, ele poderia ter caído na tentação de embolsar parte dos direitos autorais e certamente encontraria maneiras de gastar esse dinheiro. Mas isso não aconteceu. Todos os direitos autorais que recebeu foram cedidos a instituições de caridade e espíritas. Em todos os momentos ele exemplificou a humildade e o desprendimento que pregava.

Uma vez recebeu a seguinte pergunta de um repórter: "Como o senhor, que é uma pessoa procurada por tantas pessoas, leva uma vida tão humilde?".

A resposta de Chico é reveladora do seu caráter:

> *Eu ainda sou um privilegiado. Deus me deu um lugar para ficar. Almoço uma vez por dia. Isso é uma felicidade. Estou paralítico e com o*

coração alterado, mas estou feliz. Cumpri o meu dever, o que era para ser feito foi feito. Continuo fazendo, mas agora em menor escala.

Ele sempre fez questão de afirmar que o trabalho não era seu. Durante entrevista ao programa *Pinga-fogo*, apresentado na extinta TV Tupi, ele foi inquirido pelo jornalista se já cogitara escrever e editar um livro não psicografado com seus conhecimentos. Chico respondeu:

> *Quando ouvimos o espírito Emmanuel pela primeira vez, e que ele nos fez compreender a importância do assunto, nós nos informamos com ele de que, em outras vidas, abusamos muito da inteligência, nós, em pessoa, e que nesta consagraríamos as nossas forças para estar com ele na mediunidade, nos serviços de Nosso Senhor Jesus Cristo, no espiritismo e, por isso mesmo, coloquei minha vida nas mãos de Jesus e nas mãos dos bons espíritos. Creio que, se fosse escrever, conseguiria escrever alguma coisa, mesmo porque depois de quarenta anos de livros mediúnicos, seria impossível que eu não pudesse traçar algumas páginas. Mas renuncio a isto porque considero a imensa significação dos trabalhos dos bons espíritos por nosso intermédio; não vemos nenhum proveito com a nossa intromissão na obra deles; respeitamo-la como todos aqueles que se beneficiam dos livros deles. Sabemos que os livros não são nossos. Quanto mais avança o nosso tempo de idade física na Terra, mais reconhecemos que a nossa pequenez é cada vez mais reconhecível, mais identificável, e que a bondade dos bons espíritos é sempre mais ampla, em se tratando do meu caso pessoal que não mereço, absolutamente, a consideração deles. Então, eu devo declarar de público que, embora eu nada tenha pra dar, como um animal que vai a uma carroça para cooperar na distribuição, vamos dizer, de cartas ou de medicamentos ou de certos benefícios ou de algumas utilidades, eu aceitei, como um animal, o servo com os bons espíritos e peço a Deus que me dê a felicidade de desencarnar nesta função.*

Muitas vezes ele também foi alvo de pessoas que tentavam dar um "agradinho" e, como sempre em sua vida, retransmitiu o "agrado" diretamente para alguma instituição que precisava de ajuda.

O seguinte caso ilustra a relação de Chico Xavier com os presentes materiais. Fernando Worm entregou para ele um azulejo raro das ruínas de Pompeia, uma relíquia que comprara em viagem à Itália. Chico olhou para a linda pintura e escreveu uma dedicatória na parte oposta da figura, entregando novamente a Fernando. Surpreso, ele disse para Chico aceitar a lembrança tão simples. Porém, Chico, com muita habilidade, respondeu: "Eu já guardei a peça na minha retina espiritual. Peço somente que você seja o guardião desta preciosa relíquia para mim". Esse era Chico Xavier.

Em outra oportunidade, Chico foi questionado pelo empresário Frederico Figner, se possuia algum desejo de ordem material. Ele, tentou se esquivar da resposta, mas, pressionado, afirmou que gostaria de ter uma renda mensal de 300 mil réis para que pudesse se dedicar somente ao trabalho social e espiritual. Assim não teria que dedicar tanto tempo ao trabalho para seu sustento e direcionaria suas forças somente para o trabalho social.

Tempos depois, o empresário veio a falecer e, como desejo expressado em testamento, deixou como herança para Chico Xavier, um cheque com um valor que seria suficiente para ele ter essa renda mensal. Chico recebeu a carta com a notícia e o cheque enviado pelas filhas do falecido.

Nessa época, Chico e sua família estavam com uma dívida bastante alta devido ao não pagamento dos impostos na casa em que moravam. Ao receber o cheque ele escreveu uma carta agradecendo, mas afirmou que não poderia aceitá-lo, e que o dinheiro deveria ficar com as filhas, já que não era justo ele receber o valor.

Alguns dias passaram e ele recebeu novamente uma carta das filhas com o mesmo cheque, dizendo que, mesmo sendo católicas e não acreditando no espiritismo, elas faziam questão de cumprir o desejo do pai, e, além disso, já haviam recebido dinheiro suficiente como herança.

Não convencido, ele tentou devolver o cheque novamente e, diante da insistente recusa das filhas, pediu que o cheque fosse enviado diretamente a Federação Espírita Brasileira para a criação de um parque gráfico que serviria a produção de livros espíritas.

O pai de Chico ficou indignado com a recusa do filho em receber a doação, face a difícil situação que enfrentavam em casa. Entretanto, Chico foi irredutível.

Anos depois, o espírito de Figner procurou o médium em Pedro Leopoldo, disposto a ditar-lhe um livro para publicação. Vendo que o desejo do espírito era tão somente de ter o seu nome na capa de um livro, Emmanuel aconselhou-o a se preparar adequadamente, lembrando que todos tiveram que se preparar para a tarefa.

Quando finalmente lhe foi permitido, ele ditou a obra *Voltei* para Chico. Emmanuel aconselhou Chico a enviar o original para a família de Figner para ver se eles autorizavam a publicação, uma vez que, Chico tinha passado por um momento extremamente difícil, quando, anos atrás, fora processado pela família de Humberto de Campos, que exigia o pagamento de direitos autorais.

As filhas do empresário ficaram indignadas com o livro e disseram categoricamente que aquilo não fora escrito pelo pai. Dessa forma, o livro foi publicado e assinado com o pseudônimo de Irmão Jacó, coisa que deixou o novo "escritor espiritual" profundamente chateado, mas que, no fundo, acabou sendo uma grande lição de humildade para ele.

Em outra ocasião, funcionários da Federação Espírita o presentearam com uma edição de *Paulo e Estevão* com encadernação especial e acabamento em diamante. Chico se emocionou ao receber a edição recordando a história dos mártires Estevão e Paulo de Tarso.

Alguns dias depois, um homem bateu-lhe a porta, em noite de chuva torrencial e pediu-lhe uma receita médica para que levasse aos familiares que estavam adoecidos. Orientado pelo Doutor Bezerra de Menezes, o médium deu a receita. O sujeito agradeceu, mas afirmou não ter dinheiro para comprar o remédio. Como Chico também não tinha nada naquele momento, olhou em volta e notou o livro decorado com diamante. Não teve dúvida, pegou o livro e o entregou ao homem dizendo para ele trocá-lo pelo remédio em uma farmácia.

Essa atitude lembra o exemplo deixado por Bezerra de Menezes em vida, que fora considerado o médico dos pobres por atender gratuitamente a todos que o procuravam em seu consultório.

Sobre Bezerra, Chico relata que em 11 de abril de 1950 houve uma reunião no plano espiritual para a qual o médium foi convidado e pode comparecer em desdobramento. Na reunião, Celina, enviada de Maria, promoveu Bezerra de Menezes a uma tarefa maior e em uma esfera mais alta. Na oportunidade, Bezerra agradeceu a oferta em prantos, mas rogou a mãe santíssima que o deixasse continuar sua tarefa no Brasil, solicitação que foi atendida.

Um desafio ainda maior do que não ter apego aos bens materiais foi o de conviver com a maledicência das pessoas. Ele sofreu, nos mais diversos segmentos, perseguições de pessoas que tentavam de todas as maneiras desacreditar o trabalho do médium.

Em 1958, por exemplo, foi vítima de um escândalo envolvendo seu sobrinho Amauri Pena, filho de Maria da Conceição Xavier Pena, sua irmã, e que era médium psicógrafo, tendo inclusive psicografado Luis de Camões em um texto que seria uma nova versão do poema *Os Lusíadas*. Amauri convoca a imprensa e assume publicamente que é um mistificador e não recebia, portanto, espírito nenhum, passando-se por falso médium. Afirmou:

> *Assim como tio Chico, tenho uma enorme facilidade de fazer versos imitando qualquer estilo de grandes autores. Tanto eu quanto ele descobrimos isso muito cedo. Tio Chico é inteligente, lê muito e, com ajuda de outro mundo ou sem ela, vai continuar escrevendo seus versos e seus livros.*

Rapidamente, a mídia tentou associar o nome de Chico Xavier ao caso insinuando que ele poderia ter aconselhado o sobrinho ou até participado diretamente da armação. Ele se defende discretamente, mostrando que não era igual ao sobrinho, que, após o remorso pela tentativa de atingir o tio, acaba sendo internado em um sanatório psiquiátrico para receber tratamento.

Por vezes, ele foi alvo de espíritos maldosos ou não esclarecidos, como dizia, que tentavam fazê-lo desistir do trabalho no bem.

Um dia ao chegar em seu quarto para dormir, Chico se deparou com a imagem de uma figura diabólica. A entidade perguntou se ele a havia chamado. Antes de responder, ouviu por meio da intuição a voz de Emmanuel, para não responder negativamente. Chico ficou em silêncio. Ao receber novamente a pergunta, respondeu que a havia chamado.

Assim, o espírito lhe devolveu outra pergunta, questionando o motivo de ter-lhe chamado. Chico, muito sorrateiramente, respondeu: "a vida está muito difícil para mim e gostaria que me abençoasse em nome da força que você representa". Recebeu então um sorriso da entidade que disse: "Tá muito difícil pegar você Chico". Em seguida, a entidade desapareceu e ficou a lição de Chico. Se tivesse tentado confrontá-la, provavelmente teria arrumado grandes complicações, mas saiu-se muito bem, com sabedoria.

O impressionante é que nada disso fez que ele deixasse de lado a simplicidade, mostrando que, por mais fama que alcançasse, ele não esquecia que o sentido da felicidade está em ser simples, humilde, entendendo-se como um grão de areia numa praia, um cisco, como se definia.

Entendedor do real caminho para a felicidade, ele jamais perdeu tempo se importando com as críticas e a maledicência. Continuou sempre com seu trabalho e seu modo de vida, que trazia como lema buscar a felicidade nas coisas mais simples, sem jamais se preocupar com a opinião alheia.

Certa vez, um amigo abordou o médium e perguntou-lhe quem seria o homem mais rico. Ele respondeu sem vacilar:

"– Para mim, o homem mais rico é o que tem menos necessidades..."

No que o amigo, redarguiu com outra questão:

"– E o homem mais justo e sábio?"

–" O homem mais justo e sábio é o que cumpre com o seu dever." – respondeu Chico.

"– Mas o que você está me dizendo é o óbvio." – disse o amigo.

O médium, inspirado por Emmanuel, respondeu:

"– Meu filho, tudo que está no Evangelho é o óbvio. Não existem segredos nem mistérios para a salvação da alma. O nosso problema é justamente este: queremos alcançar o Céu, vivendo fora do óbvio na Terra."

Em janeiro de 1933, Chico trabalhava no armazém de José Felizardo como balconista. O amigo José Álvaro, poeta e escritor, propôs-se a levá-lo para a capital mineira em busca de um melhor salário. Seu pai, João Cândido, ficou entusiasmado e incentivou o filho a aceitar a proposta. Ele ficou em dúvida e consultou Emmanuel, que lhe disse achar inoportuna a viagem, mas aconselhou-o a não desobedecer ao pai.

Em Belo Horizonte, teve o primeiro contato com a fama gerada pelo livro *Parnaso de além-túmulo*, mas as agitações e os elogios não foram suficientes para fazê-lo perder a humildade. José Álvaro, na realidade, queria que Chico assumisse as obras como sendo de sua autoria, e não dos espíritos. Ele recusou e três meses depois, regressou a Pedro Leopoldo, retomando suas atividades no armazém.

Passados dois anos, foi tema de uma reportagem publicada no jornal *O Globo*, o que o tornou conhecido em todo o Brasil. A partir daí, milhares de pessoas passaram a visitá-lo em Pedro Leopoldo para conferir as suas habilidades mediúnicas. Chico começou a ficar preocupado com o fato de que o seu trabalho sério pudesse se transformar em espetáculo, pois, naquela época, ele fazia trabalhos de materialização e psicografava textos em vários idiomas, como inglês, alemão e até sânscrito. Tal fenômeno era o que mais impressionava leigos e estudiosos. Depois de um período realizando esse trabalho, Chico aceitou o conselho do seu guia Emmanuel, que sugeriu o fim daquele tipo de reunião, pois achava que a maioria das pessoas que o procuravam estava envolvida por uma simples curiosidade totalmente improdutiva. Emmanuel sabia o que estava falando. Após encerrar esse trabalho, iniciou seu período mais produtivo em termos de mensagens esclarecedoras.

No início da década de 1970, sua notoriedade aumentou ainda mais no país, quando participou do programa *Pinga-fogo*, transmitido pela extinta TV Tupi, uma espécie de roda-viva em que jornalistas e espectadores faziam perguntas ao entrevistado.

Esse programa estreou no ano de 1955 e ficou no ar até o início dos anos 1980, constituindo um dos marcos da história televisiva do país.

Em 28 de julho de 1971, mais de 75% dos televisores paulistas estavam ligados no programa para assistir a Chico Xavier, sabatinado ao vivo por conceituados jornalistas sobre os mais diversos temas. O programa, com previsão inicial de sessenta minutos, acabou se estendendo por mais de três horas.

A pedido de espectadores, ele foi repetido três vezes nas semanas seguintes. No dia 12 de dezembro, Chico foi novamente entrevistado.

Durante esta entrevista, foi questionado sobre o motivo de evitar até então aparecer em programas de televisão e de, nos últimos tempos, ter começado a participar destes programas. Chico respondeu que Emmanuel sempre lhe indicou que, após completar a publicação de cem livros, seria permitido que ele conversasse algumas vezes publicamente:

> *Agradeço muito àqueles companheiros, àquelas autoridades que têm me convidado para outros programas. Mas devo declarar que eu estou impossibilitado de assumir compromissos de vir à televisão, periodicamente, com muita frequência, porque não posso; não posso porque as tarefas mediúnicas no livro, em nossas reuniões públicas de evangelização nos tomam a possibilidade.*

A partir dali Chico conquistaria de vez o coração dos brasileiros, aumentando ainda mais a sua fama, e fazendo milhares de pessoas tornarem-se espíritas.

Em 1978, por exemplo, o médium, interpretou a si próprio na novela *O profeta*, escrita por Ivany Ribeiro, na extinta TV Tupi.

Ele também era muito visitado por artistas, o que fez que sua popularidade aumentasse ainda mais. Os cantores Fábio Júnior e Roberto Carlos, as cantoras Vanusa e Wanderléa, o estilista Clodovil Hernandez, Risoleta Neves, viúva do ex-presidente Tancredo Neves, o então candidato à presidência Fernando Collor de Melo, os atores Lima Duarte e Tony Ramos, a apresentadora Xuxa, entre outras dezenas de artistas foram até Uberaba em busca de conselhos do médium.

Roberto Carlos, em entrevista a *Revista Intervalo*, em 1971, chegou inclusive a declarar que conhecer Chico Xavier foi a realização de um sonho de infância.

Chico também foi recordista em autógrafos. Nos dias 3 e 4 de agosto de 1973, no Clube Atlético Ipiranga, em São Paulo, ele autografou 2243 livros nas 18 horas em que se submeteu a maratona. Já em 18 de abril de 1977, no Grupo Espírita Irmã Angelina, na cidade de Santos, em SP, autografou a impressionante marca de 2789 livros.

Toda vez que ele aparecia na mídia, imediatamente aumentava o número de caravanas que se dirigia a Uberaba para procurá-lo. Mesmo com boa vontade, era impossível para Chico atender a todos os que o procuravam, o que gerava frustração naqueles que não podiam ser atendidos.

Resultado do reconhecimento do seu trabalho, em 1999, o então governador de Minas Gerais, Itamar Franco, sancionou a Lei 13394, criando a Comenda da Paz Chico Xavier, destinada a homenagear pessoas físicas e jurídicas que tenham se destacado na promoção da paz, ou por meio de atividades relacionadas com o desenvolvimento de pesquisas científicas e tecnológicas em prol do bem-estar da humanidade. Ou àqueles que tenham dado contribuições literárias, artísticas e culturais, ou participado de campanhas pacifistas, movimentos e manifestos em favor do desarmamento e da defesa do cidadão; ou mesmo de trabalhos e projetos que combatam a fome e a miséria e que promovam a geração de emprego e renda, ou políticas e projetos voltados para o desenvolvimento da educação, ou ações e campanhas para o fortalecimento da família, ou contribuições ao desenvolvimento espiritual da humanidade, ou ações para a promoção da dignidade humana. Tudo o que Chico sempre fez em vida.

Seu valor não ficou registrado apenas pelos mais de cem títulos de cidadania que recebeu no Brasil em cidades como São Paulo, São José do Rio Preto, São Bernardo do Campo, Franca, Campinas, Santos, Catanduva, Uberaba, Pedro Leopoldo, Uberlândia, Araguari, Belo Horizonte, Campos, entre outras. Prova disso foi a grande campanha realizada para que ele recebesse o Prêmio Nobel da Paz, em 1981, quando cerca de dez milhões de brasileiros assinaram o manifesto com sua indicação ao prêmio.

No dia 23 de maio de 1980, a Rede Globo apresentou o programa *Um homem chamado Amor*, dirigido por Augusto Cezar Vanucci, para divulgar a campanha promovida para a indicação de Francisco Cândido Xavier ao prêmio Nobel da Paz.

O programa contou com a participação de "globais" como Lima Duarte, Roberto Carlos, Eva Vilma, Elis Regina, Nair Belo, Toni Ramos, Glória Menezes, entre outros.

Durante o programa, Chico Xavier psicografou uma bonita mensagem de Emmanuel, falando sobre o tema amor, tão enfocado durante o programa:

A inteligência humana conseguirá atingir as maiores realizações.
Poderá conhecer a estrutura de outros mundos.
Construir no piso dos mares.
Escalar os mais altos montes.
Interferir no código genético das criaturas.
Decifrar os segredos da vida cósmica.
Penetrar os domínios da mente e controlá-los.
Inventar os mais sofisticados aparelhos que propiciem o reconforto.
Criar estatutos para o relacionamento social e transformá-los, segundo suas próprias conveniências.
Levantar arranha-céus ou materializar as mais arrojadas fantasias.
Entretanto, nunca poderá alterar as leis fundamentais de Deus e nem viver sem amor.

Ele acabou não ganhando, e o prêmio foi para o escritório do alto comisssariado da ONU para os refugiados, responsável pela assistência a milhões de refugiados em todo o mundo. Porém, a campanha feita para sua indicação fez que se tornasse uma das pessoas mais conhecidas e admiradas do país. Após saber o resultado, Chico declarou:

Nós estamos muito felizes sabendo que um prêmio dessa ordem coube a uma instituição que já atendeu a mais de 18 milhões de refugiados. A organização detentora do prêmio é mais do que merecedora dessa homenagem do mundo inteiro por meio do Prêmio Nobel. Nós todos deveríamos instituir recursos para uma organização como essa, em que mais de 18 milhões de criaturas encontram apoio, refúgio, amparo e benção. Nós estamos muito contentes, e, sem nenhuma ideia de falsa modéstia, nos regozijamos com os resultados da Comissão, que foi tão feliz nessa escolha.

Uma pesquisa realizada pelo jornal *Gazeta Mercantil* dá a dimensão da popularidade de Chico Xavier. O jornal quis saber quais eram os religiosos mais influentes do país. O resultado final o coloca em quarto lugar, em uma lista em que os primeiros colocados eram cardeais e arcebispos católicos e, em um momento do país, em que toda a força religiosa estava concentrada na mão do catolicismo.

Os cinco religiosos mais influentes:

Religiosos	Porcentagem
1º Dom Paulo Evaristo Arns	13,06%
2º Dom Helder Câmara	11,49%
3º Dom Aloísio Lorscheider	11,39%
4º Francisco Cândido Xavier	9,52%
5º Dom Eugênio Sales	9,17%

Outro momento de destaque foi quando Chico Xavier foi eleito o Mineiro do Século no concurso realizado pela Rede Globo, ficando à frente de personalidades como Santos Dumont, Pelé, Betinho, Carlos Drummond de Andrade, Ary Barroso e Juscelino Kubitschek.

A pesquisa foi realizada pela Rede Globo Minas e apresentada em novembro de 2000.

Mineiro do Século – resultado da votação

Personalidade	Votos
1º Chico Xavier	704.030
2º Santos Dumont	701.598
3º Pelé	260.336
4º Herbert de Souza (Betinho)	259.051
5º Carlos Drumonnd de Andrade	142.809
6º Ari Barroso	140.406
7º Juscelino Kubitschek	134.894
8º Carlos Chagas	129.824
9º Guimarães Rosa	44.816
10º Sobral Pinto	41.757

Em 2006, foi a vez da revista *Época*, em sua edição 434, de 11 de setembro, apontar Chico Xavier como "O Maior Brasileiro da História", em pesquisa feita pela Internet.

Os oito primeiros colocados na votação dos leitores de *Época* foram:

Personalidade	Votos
1º Chico Xavier	9.966
2º Ayrton Senna	5.637
3º Pelé	4.320
4º Garrincha	924
5º Santos Dumont	854
6º Juscelino Kubitschek	830
7º Lula	540
8º Getúlio Vargas	519

Lição de trabalho

"Deus nos concede o privilégio de trabalhar, a fim de agir por nós mesmos, e para que tenhamos a bênção de substituir aqueles que ainda não entendem a felicidade de trabalhar."
Emmanuel – Gotas de Paz

Chico Xavier foi um exemplo de trabalhador feliz. Ele iniciou sua vida mediúnica no dia 8 de julho de 1927, em Pedro Leopoldo.

Maria Xavier, sua irmã, havia adoecido há alguns dias e os médicos não conseguiam resultado positivo no tratamento dela. Então a família decidiu levá-la à Fazenda Maquiné, local em que o amigo José Ermínio Perácio e a médium Carmem Perácio, sua esposa, faziam reuniões espíritas. A moça foi curada e Chico tomou o primeiro contato com o espiritismo.

Foi lá que, com apenas 17 anos de idade, recebeu as primeiras páginas mediúnicas. Naquela noite, os espíritos deram início ao trabalho em conjunto com Chico. Nessa ocasião, dezessete folhas de papel foram preenchidas com comunicações dos espíritos com temática cristã. O médium relata da seguinte maneira esse primeiro contato:

> *(...) Era uma noite quase gelada e os companheiros que se acomodavam junto à mesa me seguiram os movimentos do braço, curiosos e comovidos. A sala não era grande, mas, no começo da primeira*

transmissão de um comunicado do mais Além, por meu intermédio, senti-me fora de meu próprio corpo físico, embora junto dele. No entanto, ao passo que o mensageiro escrevia as dezessete páginas que nos dedicou, minha visão habitual experimentou significativa alteração. As paredes que nos limitavam o espaço desapareceram. O telhado como que se desfez e, fixando o olhar no alto, podia ver estrelas que tremeluziam no escuro da noite. Entretanto, relanceando o olhar no ambiente, notei que toda uma assembleia de entidades amigas me fitavam com simpatia e bondade, em cuja expressão adivinhava, por telepatia espontânea, que me encorajavam em silêncio para o trabalho a ser realizado, sobretudo, animando-me para que nada receasse quanto ao caminho a percorrer.

Rapidamente o trabalho de Chico começou a ficar conhecido na região. Durante quatro anos, escreveu centenas de mensagens. Esse período foi definido por Emmanuel, o mentor espiritual de Chico, como de necessária experimentação. Em 1931, Emmanuel pediu para ele jogar fora as mensagens que tinha escrito neste período, pois elas tinham somente a finalidade de ajudá-lo no treinamento.

Maria de Lourdes de Benício, amiga de Chico em Pedro Leopoldo, define da seguinte maneira o período:

Era um menino de 17 anos de idade. Naquela época aconteceu um grande rebuliço na cidade. Ninguém acreditava em Espiritismo, o povo era muito católico. De repente começou a chegar gente de tudo quanto era lugar para conhecer o tal Chico Xavier, que era ainda uma criança.

Certa vez, Chico descreveu algumas das dificuldades pelas quais teve que passar para seguir à frente com a mediunidade:

Muitas vezes me senti num labirinto, ignorando como sair dele. Eram visões e vozes que se confundiam, comigo no centro de semelhantes distonias. Digo ao seu coração amigo que atualmente, muitas vezes, me admiro de ter papel, tinta e lápis ao meu dis-

por. Em muitas ocasiões, antes do progresso que desfrutamos agora, depois de longa mensagem que eu escrevia à mão, para enviar à FEB, no Rio, surgiam ventos súbitos que penetravam por alguma janela e se concentravam em redemoinho, sobre o tinteiro de que me servia, espalhando a tinta sobre o trabalho que me custara enorme esforço, anulando-me o serviço, por vezes, efetuado com os minutos possíveis de noites seguidas. Em momentos outros, eram crianças de minha própria família que se valiam da minha ausência de instantes, para rasgarem os papéis escritos. Sempre me vi defrontado por forças adversas que me testaram em tudo o que recebia nas mensagens de nossos amigos da vida superior.

Mesmo com dificuldades como estas, Chico tornou nacionalmente conhecida a palavra médium, numa época em que falar em espíritos era coisa do demônio.

Hoje, mesmo que não seja praticante espírita, você já deve ter ouvido falar na figura do médium. Mas, afinal de contas, o que é a mediunidade? Para simplificar a compreensão, chamaremos a mediunidade de sexto sentido.

Segundo Allan Kardec, esse sexto sentido permitiria a percepção da influência dos espíritos, e poderia ser desenvolvido por qualquer pessoa.

Assim, conclui-se que todas as pessoas tenham a capacidade de perceber a influência dos espíritos, mas nem todos a desenvolvem durante sua existência. Chico Xavier seria um exemplo de pessoa que desenvolveu desde cedo essa capacidade. Ele foi o mais completo médium que já existiu, pois desenvolveu vários tipos de mediunidade, podendo trazer comunicação por meio da escrita, da fala e de fenômenos físicos.

Aquele que desenvolve a mediunidade é denominado médium. Geralmente, os médiuns têm uma aptidão especial para determinado tipo de fenômeno. Disso resulta formarem tantas variedades, quantas são as formas de manifestações. As principais são a dos médiuns de efeitos físicos, a dos médiuns sensitivos, a dos audientes, a dos videntes, a dos sonambúlicos, a dos curadores, a dos pneumatógrafos e a dos psicógrafos.

- *Médiuns de efeitos físicos*: são aqueles aptos a produzir fenômenos materiais, como os movimentos dos corpos inertes ou ruídos. Podem ser classificados em médiuns facultativos (os que produzem os fenômenos espíritas por vontade própria e são totalmente conscientes do que estão fazendo) e em médiuns involuntários (que não possuem consciência e nem mesmo desejo de produzir fenômenos).
- *Médiuns sensitivos*: trata-se das pessoas suscetíveis a sentir a presença dos espíritos por uma impressão vaga e que podem reconhecer se o espírito é bom ou mau por meio de sensações mais sutis ou mais pesadas.
- *Médiuns audientes*: são aqueles que ouvem a voz dos espíritos e podem conversar diretamente com eles.
- *Médiuns psicofônicos*: são aqueles que transmitem as comunicações dos espíritos por meio da fala.
- *Médiuns videntes*: são dotados da faculdade de ver os espíritos. Entre os médiuns videntes, há alguns que só veem os espíritos evocados, e outros que veem toda a população espírita.
- *Médiuns sonambúlicos*: nesse tipo de mediunidade, o espírito do médium vê, ouve e percebe os demais espíritos, enquanto dorme.
- *Médiuns curadores*: são as pessoas que têm o dom de curar pelo simples toque, pelo olhar ou mesmo por um gesto, sem o concurso de qualquer medicação.
- *Médiuns psicógrafos*: transmitem as comunicações dos espíritos por meio da escrita. Esses médiuns podem ser divididos em três categorias: mecânicos, semimecânicos e intuitivos. Os mecânicos não têm consciência do que escrevem e a influência do pensamento do médium na comunicação é quase nula. Os semimecânicos interferem parcialmente na comunicação. Já os intuitivos recebem a ideia do espírito comunicante e a interpretam, desenvolvendo-a com os recursos de suas próprias possibilidades morais e intelectuais.

O médium tem papel decisivo em uma comunicação. Em entrevista ao programa *Pinga-fogo*, Chico relata:

Em 1931, quando eu ia fazer 21 anos, o espírito de Augusto dos Anjos sentia muita dificuldade em escrever por meu intermédio. Nesse tempo, eu trabalhava no armazém e esse armazém me dava também serviço para cuidar de uma horta muito grande com plantações de alho, porque o alho na região em que nasci é um fator econômico de grande importância. Então, depois das seis da tarde, para mim era um prazer fazer a rega dos canteiros de alho e os espíritos começavam a conversar comigo. Eu achava muito prazer naquelas horas, porque eu me isolava de todo o serviço do armazém para ficar plenamente à disposição dos espíritos amigos. Então ele começou a ditar uma poesia que está no Parnaso de além-túmulo, *o primeiro livro da nossa mediunidade. A poesia chama-se* Vozes de uma sombra. *E ele começou a falar com aquelas palavras maravilhosas, muito técnicas, eu com o regador na mão, custava a compreender. E ele falava e falava que gostava de escrever no campo e que aquela hora era um hora em que queria ditar, para que eu ouvisse, para poder compreender na hora de escrever, porque muitas vezes também escrevo como médium ouvinte. E eu sentia aquela dificuldade... Então ele falou assim comigo: "Olha, você quer saber de uma coisa? Eu vou escrever o que eu puder, mas a sua cabeça não aguenta mesmo!" E a poesia está no livro, mas só o que ele pôde, mas era muito mais, era uma beleza. Ele falava de fótons, de mundos, de galáxias. Quem era eu para entender aquilo, eu que estava regando canteiros de alho.*

Como dito, o sexto sentido ou percepção extrassensorial abrange uma enorme gama de fenômenos, como a telepatia e a vidência, entre outros, e tem como objetivo estabelecer uma ponte para contato entre o mundo físico e o espiritual. Para isso, ele se apresenta por meio de fenômenos de efeitos intelectuais (psicografia, psicofonia, clarividência, clariaudiência, entre outros) ou físicos (batidas, movimento de objetos, materializações, fenômenos de voz direta etc).

O espiritismo diz que é perfeitamente natural a comunicação com os espíritos falecidos e vice-versa, uma vez que todos são espíritos, embora alguns estejam temporariamente encarnados. Essa comunicação se estabelece nos níveis mental e emocional e dentro dos princípios da lei de sintonia, ou seja, encarnados e desencarnados atraem-se ou repelem-se por afinidade e interesses em comum.

Chico Xavier trouxe, durante sua existência, milhares de comunicações de espíritos já falecidos, com mensagens para seus parentes ainda vivos. Semanalmente centenas de pessoas procuravam o médium buscando receber comunicações de entes queridos falecidos. Algumas vezes essas comunicações eram possíveis; em outras oportunidades, não. Chico sempre fazia questão de dizer que "o telefone toca de lá para cá". Ou seja, os espíritos é que dizem quando desejam se comunicar conosco, e não o contrário. Em diversas oportunidades, pessoas que não recebiam mensagens acabavam se revoltando contra ele, que, com paciência, explicava que ainda não havia sido permitida a comunicação, e que, em algum momento, o espírito poderia entrar em contato.

Um dos exemplos das comunicações de Chico Xavier ocorreu em agosto de 1951, em que recebeu em Pedro Leopoldo a ilustre visita de Pietro Ubaldi (1886 – 1972), escritor italiano, filósofo e místico, nascido em Foligno, pequena cidade italiana, perto de Assis, e autor do livro *A Grande Síntese* (1931), com milhões de leitores em todo o mundo.

Em transe, Chico diz que o está vendo diante do túmulo de Francisco de Assis. O professor confirma perplexo que realmente havia visitado a sepultura do santo antes de viajar para o Brasil.

Na sequência, diz que ali está uma entidade chamada Lavínia, que se diz mãe de Ubaldi e que o chama carinhosamente de *mio garofanino*, que em português significa "meu pequeno cravo". O professor confirma que era aquele o apelido pelo qual ela o chamava.

Porém, neste encontro haveria um susto muito maior. Chico relatou que ali estava um espírito chamado Maria, e que se dizia irmã de Ubaldi. Este disse que realmente tinha uma irmã com este nome, mas que ela ainda estava viva, na Itália. Todos ali pensaram o pior. Porém, a entidade disse que ela havia morrido quando Pietro Ubaldi ainda era uma criança. Ele já não se lembrava deste fato e se emocionou muito ao ouvir isso.

São Francisco de Assis foi um dos espíritos mais iluminados a dar comunicação a Chico Xavier. Na mensagem a seguir, recebida em 17 de agosto de 1951 e entregue a Pietro Ubaldi, o espírito do santo de Assis fala dos deveres do cristão:

> *O Calvário do Mestre não se constituía tão somente de secura e aspereza...*
> *Do monte pedregoso e triste jorravam fontes de água viva que dessedentaram a alma dos séculos.*
> *E as flores que desabrochavam no entendimento do ladrão e na angústia das mulheres de Jerusalém atravessaram o tempo, transformando-se em frutos abençoados de alegria no celeiro das nações.*
> *Colhe as rosas do caminho no espinheiro dos testemunhos...*
> *Entesoura as moedas invisíveis do amor no templo do coração...*
> *Retempera o ânimo varonil, em contato com o rocio divino da gratidão e da bondade!...*
> *Entretanto, não te detenhas. Caminha!....*
> *É necessário ascender.*
> *Indispensável o roteiro da elevação, com o sacrifício pessoal por norma de todos os instantes.*
> *Lembra-te, Ele era sozinho! Sozinho anunciou e sozinho sofreu. Mas erguido, em plena solidão, no madeiro doloroso por devotamento à humanidade, converteu-se em eterna ressurreição.*
> *Não temos outra diretriz senão a de sempre:*
> *Descer auxiliando para subir com a exaltação do Senhor.*
> *Dar tudo para receber com abundância.*
> *Nada pedir para nosso "eu" exclusivista, a fim de que possamos encontrar o glorioso "nós" da vida imortal.*
> *Ser a concórdia para a separação.*
> *Ser luz para as sombras, fraternidade para a destruição, ternura para o ódio, humildade para o orgulho, bênção para a maldição.*
> *Ama sempre.*
> *É pela graça do amor que o Mestre persiste conosco, os mendigos dos milênios derramando a claridade sublime do perdão celeste onde criamos o inferno do mal e do sofrimento.*
> *Quando o silêncio se fizer mais pesado ao redor de teus passos, aguça os ouvidos e escuta.*

A voz Dele ressoará de novo na acústica de tua alma e as grandes palavras, que os séculos não apagaram, voltarão mais nítidas ao círculo de tua esperança, para que as tuas feridas se convertam em rosas e para que o teu cansaço se transubstancie em triunfo.

O rebanho aflito e atormentado clama por refúgio e segurança.

Que será da antiga Jerusalém humana sem o bordão providencial do pastor que espreita os movimentos do céu para a defesa do aprisco?

É necessário que o lume da cruz se reacenda, que o clarão da verdade fulgure novamente, que os rumos da libertação decisiva sejam traçados.

A inteligência sem amor é o gênio infernal que arrasta os povos de agora às correntes escuras e terrificantes do abismo.

O cérebro sublimado não encontra socorro no coração embrutecido.

A cultura transviada da época em que jornadeamos, relegada à aflição ameaça todos os serviços da Boa Nova, em seus mais íntimos fundamentos.

Pavorosas ruínas fumegarão, por certo, sobre os palácios faustosos da humana grandeza, carente de humanidade, e o vento frio da desilusão soprará, de rijo, sobre os castelos mortos da dominação que, desvairada, se exibe sem cogitar dos interesses imperecíveis e supremos do espírito.

É imprescindível a ascensão.

A luz verdadeira procede do mais Alto e só aquele que se instala no plano superior ainda mesmo coberto de chagas e roído de vermes, pode, com razão, aclarar a senda redentora que as gerações enganadas esqueceram. Refaz as energias exauridas e volta ao lar de nossa comunhão e de nossos pensamentos.

O trabalhador fiel persevera na luta santificante até o fim.

O farol no oceano irado é sempre uma estrela em solidão. Ilumina a estrada, buscando a lâmpada do Mestre que jamais nos faltou.

Avança.... Avancemos...

Cristo em nós, conosco, por nós e em nosso favor é o Cristianismo que precisamos reviver à frente das tempestades, de cujas trevas nascerá o esplendor do Terceiro Milênio.

Certamente, o apostolado é tudo. A tarefa transcende o quadro de nossa compreensão.

Não exijamos esclarecimentos.
Procuremos servir.
Cabe-nos apenas obedecer até que a glória Dele se entronize para sempre na alma flagelada do mundo.
Segue, pois, o amargurado caminho da paixão pelo bem divino, confiando-te ao suor incessante pela vitória final.
O evangelho é o nosso código eterno.
Jesus é o nosso Mestre imperecível.
Agora é ainda a noite que se rasga em trovões e sombras, amedrontando, vergastando, torturando, destruindo...
Todavia, Cristo reina e amanhã contemplaremos o celeste despertar.

Em algumas comunicações, Chico Xavier fazia revelações impressionantes. Uma delas foi recebida por ele em 1936.

Quatro anos antes, em 1932, o bebê Lindbergh foi sequestrado na residência dos seus pais nos Estados Unidos. O sequestrador exigia 100 mil dólares pelo resgate. As negociações não avançaram e alguns dias depois foi encontrado o corpo de um bebê, que foi reconhecido como do filho de Lindbergh.

Filho do primeiro aviador a cruzar o Atlântico, Charles Lindbergh (1902 – 1974), feito que o tornou herói em seu país, o caso teve imediata repercussão mundial e, inclusive, no ano de 1996, ganhou as telas do cinema com a produção hollywoodiana *O Crime do Século*, de Mark Rydell.

A polícia acusou o carpinteiro alemão Bruno Richard Hauptmann, que negou sua culpa até o dia da sua execução em cadeira elétrica, em abril de 1936. No mesmo ano, no livro *Palavras do Infinito*, escrito pelo espírito de Humberto de Campos, Chico Xavier afirma que Bruno Hauptmann era inocente.

Muita décadas depois, em 1981, aparece um homem dizendo ser o filho de Lindbergh e exigindo reconhecimento público. Chico estava certo.

O médium nunca se opôs às pesquisas dos fenômenos que ocorriam com ele. Mesmo assim, são poucos os relatos de experiências feitas com a mediunidade de Chico Xavier.

Marcel Souto Maior, em *As vidas de Chico Xavier* relata que ele teria sido convidado em 1939 por russos para viajar, a fim de ter sua mente estudada, e que Emmanuel teria dito que não iria junto, o que fez Chico declinar o convite.

Carlos Baccelli, biógrafo de Chico, que desfrutou de sua amizade durante muitos anos e teve oportunidade de acompanhar *in loco* a vida dele, afirma que a NASA teria pesquisado a aura de Chico e que esta teria medido 10 metros enquanto a de uma pessoa normal não passa de alguns centímetros.

Uma das pesquisas sobre ele que foram divulgadas mostra um encefalograma do médium no momento exato em que ele entra em transe. Pelos conhecimentos atuais da neurociência ele teria diagnosticado o quadro de epilético. Porém, ele jamais apresentou sintomas de epilepsia.

Com uma vida atribulada, Chico não teve a oportunidade de avançar nos estudos, não passando do curso primário. Isso certamente atesta a impossibilidade de ele ter escrito tantas mensagens – com informações das mais diferentes áreas do conhecimento humano, muitas delas transformadas em livros com traduções para o castelhano, o esperanto, o francês, o grego, o inglês, o japonês, o tcheco e transcrições para o braile –, sem a ajuda de algo sobrenatural.

Por isso, é considerado o maior fenômeno mediúnico do século XX, sendo o médium espírita mais conhecido, com 439 obras editadas, somando-se aproximadamente 1880 edições, com mais de 30 milhões de exemplares vendidos em vários idiomas e livros publicados em mais de 45 países.

Em 1932, Chico publicou seu primeiro livro, intitulado *Parnaso de além-túmulo*, uma coletânea de 256 poemas assinada pelos espíritos de grandes nomes da literatura como João de Deus, Antero de Quental, Olavo Bilac, Castro Alves, Guerra Junqueira, Cruz e Souza e Augusto dos Anjos, entre outros.

Nesta época, Humberto de Campos, então jornalista, fez a seguinte análise do livro no *Diário Carioca*, edição de 10 de julho de 1932, sem saber que, poucos anos após, ele desencarnaria e, então, estaria também incluindo seu texto na introdução da segunda edição deste mesmo livro:

Eu faltaria, entretanto, ao dever que me é imposto pela consciência, se não confessasse que, fazendo versos pelas penas do Sr. Francisco Cândido Xavier, os poetas de que ele é intérprete apresentam as mesmas características de inspiração e de expressão que os identificavam neste planeta. Os temas abordados são os que os preocuparam em vida. O gosto é o mesmo e o verso obedece, ordinariamente, à mesma pauta musical. Frouxo e ingênuo em Casimiro, largo e sonoro em Castro Alves, sarcástico e variado em Junqueira, fúnebre e grave em Antero, filosófico e profundo em Augusto dos Anjos – sente-se, ao ler cada um dos autores que veio do outro mundo para cantar neste instante, a inclinação do sr. Francisco Cândido Xavier para escrever a la maniére de... *ou para traduzir o que aqueles altos espíritos sopraram ao seu ouvido.*

Desde a publicação de *Parnaso de além-túmulo*, Chico não parou mais de escrever, tendo como destaque em sua obra os romances históricos ditados pelo espírito Emmanuel, entre eles *Há 2000 anos*, *50 anos depois*, *Ave, Cristo!*, *Paulo e Estevão*, e os livros da série André Luiz, que trazem informações detalhadas sobre como seria a vida no "outro lado".

A série André Luiz teve início com a psicografia de *Nosso Lar*, redigido em 1943, e que rapidamente se tornou o grande *best-seller* de Chico Xavier, com mais de 1,3 milhão de cópias vendidas.

Psicografava sozinho, com exceção de um breve período em que trabalhou com Waldo Vieira. Em 1955, ele conheceu esse rapaz de 23 anos, que recebia mensagens de André Luiz, o mesmo que Chico.

Ele viu em Waldo alguém que o ajudaria na sua missão de escrever os livros e logo propôs que começassem a trabalhar juntos. O primeiro livro da dupla é *Evolução em dois mundos*. Chico escrevia os capítulos pares e Waldo, os ímpares.

Quatro anos depois, decide mudar-se para Uberaba, cidade localizada na região do Triângulo Mineiro, que possui uma área de 4.512 km^2, e uma população de aproximadamente 280 mil habitantes, segundo dados do último censo do IBGE.

Antes de se mudar para lá, ele chamou o colaborador José de Paulo Virginio, do Centro Espírita Luiz Gonzaga, para uma conversa e passou a ele a incumbência de ser o responsável pelos trabalhos sociais do centro em Pedro Leopoldo.

Anos antes, José de Paulo teve gangrena no pé e os médicos sugeriram a amputação. A esposa dele, em desespero, foi falar com Chico Xavier.

Quando ela encontrou o médium, Chico disse que estava atrasado para o serviço, mas iria rezar para ele enquanto ia ao trabalho e voltaria lá no dia seguinte para visitá-lo.

No outro dia, Chico foi até a janela, olhou o doente, conversou com ele e falou que Deus era muito grande, e que os amigos espirituais o ajudariam a vencer essa dificuldade.

Naquela noite, depois de muito tempo, José de Paulo dormiu bem. No outro dia, ao examiná-lo, o médico ficou surpreendido, pois a infecção tinha desaparecido. José se tornou assistente de Chico nos trabalhos no Centro Espírita Luiz Gonzaga.

Na conversa de despedida, ele o advertiu de que seria o responsável pelo trabalho, mas ele não tinha o direito de pedir um tostão a ninguém. A providência divina se encarregaria de fornecer o que precisava para tocar o trabalho. Nunca pedir doações e sempre confiar na providência divina foi um dos ensinamentos deixados pelo mestre.

Já em Uberaba, ele funda a Comunhão Espírita Cristã, localizada a Rua Eurípedes Barsanulfo, 215, na Vila Silva Campos e passa a morar com Waldo Vieira. No ano seguinte eles publicam o livro *Mecanismos da mediunidade.*

Anos depois, mais precisamente em 1965, em sua primeira missão internacional, viaja para os Estados Unidos a fim de auxiliar os espíritas brasileiros lá residentes. Essa visita foi programada e orientada por Emmanuel e André Luiz, resultando na criação da fundação Christian Spirit Center, que tinha por objetivo difundir a doutrina espírita nos Estados Unidos.

Chico também parte com destino à Europa, onde encontra o estudo do espiritismo e a prática mediúnica desenvolvidos principalmente na Inglaterra. Sua fama ultrapassa as fronteira do país, transformando-o no médium mais famoso do mundo.

Porém, Waldo não voltou da viagem. Foi para o Japão fazer pós-graduação em Medicina. Meses depois, voltou para arrumar suas malas e partir para o Rio, onde abriria um consultório. Waldo deixou o espiritismo e fundou uma seita (ou ciência batizada) de Projectologia. A parceria dos dois resultou em dezessete livros psicografados no período de 1958 a 1965.

Chico voltaria a psicografar sozinho, dando prosseguimento à obra e trazendo comunicações de diversos espíritos, dentre os quais, além de seu mentor Emmanuel, destacam-se:

André Luiz

Foi o primeiro espírito a se comunicar por intermédio de Chico Xavier sem revelar seu nome real, optando por assinar com o mesmo nome de um dos irmãos do médium.

Muitos espíritas acreditam até hoje que ele teria sido o médico sanitarista Carlos Chagas, morto em 1934, fato este não confirmado pelo espírito.

Em suas obras, o espírito se dizia médico em encarnação anterior e relata como chegou ao plano espiritual, após sua morte, trazendo detalhes da vida espiritual e mostrando, pela primeira vez, o funcionamento de uma colônia espiritual e a situação de diferentes tipos de espíritos após o falecimento.

Seu primeiro livro publicado, *Nosso Lar*, é considerado um dos melhores livros espíritas de todos os tempos, trazendo detalhes da vida na colônia espiritual Nosso Lar e contando como ele foi socorrido após passar nove anos vagando por uma região da crosta terrestre batizada de Umbral.

Nosso Lar é também o maior *best-seller* de Chico Xavier com mais de 1,3 milhão de cópias vendidas e foi inspirador da novela *A viagem*, escrita por Ivani Ribeiro e apresentada originalmente pela extinta TV Tupi em 1975, tendo um *remake* em 1994, apresentado pela Rede Globo. Em 2010, *Nosso Lar* chegará ao cinema com estreia prevista para 3 de setembro, contando no elenco com atores como Renato Prieto, Othon Bastos, Ana Rosa, Paulo Goulart, entre outros.

Seus livros iniciais, que trazem detalhes da vida no Além e dos espiritos, passaram a ser conhecidos como a coleção *A Vida no Mundo Espiritual*, sendo esta composta por 13 obras:

1. *Nosso Lar*
2. *Os Mensageiros*
3. *Missionários da Luz*
4. *Obreiros da Vida Eterna*
5. *No Mundo Maior*
6. *Libertação*
7. *Entre a Terra e o Céu*
8. *Nos Domínios da Mediunidade*
9. *Ação e Reação*
10. *Evolução em Dois Mundos*
11. *Mecanismos da Mediunidade*
12. *Sexo e Destino*
13. *E a Vida Continua...*

Além destes André Luiz ditou a Chico livros como *Conduta Espírita*, *Agenda Cristã*, *Desobsessão*, entre outros.

Humberto de Campos (1886 – 1934)

Foi um conceituado jornalista, político e escritor brasileiro tendo publicado dezenas de livros com seu nome ou com o pseudônimo de Conselheiro X.X. enquanto esteve encarnado no país, escreveu obras que o ajudaram a ser eleito para a Academia Brasileira de Letras. Humberto também se aventurou pela carreira política tendo sido eleito deputado federal pelo Estado do Maranhão.

Após sua morte, o escritor passa a ditar livros para Chico Xavier. O principal deles, psicografado em 1938 é *Brasil, Coração do mundo, pátria do Evangelho.* Outros livros de destaque do autor são *Crônicas de além-túmulo*, *Reportagens de além-túmulo* e *Lázaro redivivo*, entre outros.

Após Chico ser processado pela família de Humberto de Campos, que exigia pagamento de direitos autorais pelos livros ditados por ele depois de morto, o espírito passa a adotar em sua obras o pseudônimo de Irmão X.

Adolfo Bezerra de Menezes Cavalcanti (1831 – 1900)

Foi um dos mais importantes espíritas do país, sendo considerado como o "Kardec brasileiro". Em 2009, um filme sobre sua vida foi lançado em apenas 50 salas de cinema e contou com o espantoso público de 500 mil pessoas, tendo se tornado enorme sucesso de bilheteria.

Nascido na pequena cidade de Riacho de Sangue, no Ceará, mudou-se para o Rio de Janeiro, então capital do país, para que pudesse iniciar seus estudos em medicina. Em vida, Bezerra foi médico, jornalista e político. Pelo trabalho social que desenvolvia e por atender gratuitamente a centenas de pacientes que frequentavam a sua clinica, ele ficou conhecido como o "médico dos pobres". Certa vez, sem dinheiro para auxiliar uma paciente que teria que comprar os medicamentos receitados por ele, Bezerra deu-lhe o seu anel de formatura para que o entregasse à farmácia em troca dos remédios, tendo que voltar a pé para sua casa, distante do consultório, pois entregou, inclusive, o dinheiro do bonde.

Como político, foi deputado reeleito por vários mandatos, tendo chegado a exercer a presidência da Câmara. Era extremamente respeitado por seus companheiros de trabalho.

Foi presidente da Federação Espírita Brasileira e um dos espíritas mais atuantes em todos os tempos.

Por meio da psicografia de Francisco Cândido Xavier, ele ditou obras de destaque como *Bezerra, Chico e Você*, *Apelos Cristãos*, *Nosso Livro*, *Cartas do Coração*, *Instruções Psicofônicas*, *O Espírito da Verdade*, *Relicário de Luz*, *Dicionário d'Alma*, *Caminho Espírita* e *Luz no Lar*, entre outros.

Atualmente, Bezerra de Menezes tem milhares de "devotos" em todo o país, pessoas que o julgam como um santo e que rezam a ele em busca de uma graça para a cura de doenças físicas.

Meimei (1922 – 1946)

Era o apelido de Irma de Castro Rocha, que viveu em Minas Gerais, em sua última encarnação, tendo casado com Arnaldo Rocha, que se encontrou com Chico Xavier após a morte da esposa e teve oportunidade de ouvir do médium sobre as experiências que ele, Arnaldo e Meimei tiveram em outras encarnações, e também sobre a missão do espírito dela que era iniciar um trabalho mediúnico ditando livros para Chico Xavier. Seus principais títulos publicados são *Sentinelas da Alma*, *Pai Nosso*, *Amizade*, *Palavras do Coração*, *Cartilha do bem*, *Evangelho em Casa* e *Deus Aguarda*.

Auta de Souza (1876 – 1901)

Escritora potiguar, teve seu único livro publicado em vida alguns dias antes de sua morte, aos 24 anos. Batizado de *Horto*, a obra teve algumas reedições e boa repercussão. Muitos anos depois, ela voltaria a escrever agora pelas mãos de Chico Xavier para o qual ditou diversos poemas.

Quando questionado sobre qual seria sua principal obra mediúnica, aquela com que mais teria identificação, o médium respondeu:

> *Dois dos livros que mais me sensibilizaram de nossa autoria foram* Paulo e Estevão, *e* Boa nova. *Mas a história de Alcione, no livro* Renuncia *me comove profundamente. Ela deixou tudo, expondo-se aos perigos da Terra, se sacrificou por amor e isto é sublime.*

Além de sua extensa obra, publicada pelo Centro Espírita União, Casa Editora, O Clarim, Edicel, Federação Espírita Brasileira, Federação Espírita do Estado de São Paulo, Federação Espírita do Rio Grande do Sul, Fundação Marieta Gaio, Grupo Espírita Emmanuel Editora, Comunhão Espírita Cristã, Instituto de Difusão Espírita, Instituto de Divulgação Espírita André Luiz, Livraria Allan Kardec Editora, Editora Pensamento e União Espírita Mineira, também se originaram muitos livros falando a respeito de Chico Xavier, por exemplo, *Chico Xavier, Mediunidade e Vida*, de Carlos Baccelli; *Pinga-fogo: Entrevistas*, obra publicada pelo Instituto de Difusão Espírita; *Trinta anos com Chico Xavier*, de Clóvis Tavares; *No mundo de Chico Xavier*, de Elias Barbosa; *Lindos casos de Chico Xavier*, de Ramiro Gama; *40 Anos no mundo da mediunidade*, de Roque Jacinto; *A psicografia ante os tribunais*, de Miguel Timponi;

Amor e sabedoria de Emmanuel, de Clóvis Tavares; *Presença de Chico Xavier*, de Elias Barbosa; *Chico Xavier pede licença*, de Irmão Saulo; *Nosso amigo Xavier*, de Luciano Napoleão; *Chico Xavier: o santo dos nossos dias* e *O prisioneiro de Cristo*, de R.A. Ranieri; *Chico Xavier – mandato de amor*, da U.E.M.; *As vidas de Chico Xavier*, de Marcel Souto Maior e *O Mestre Chico Xavier*, de Luis Eduardo Matos.

As psicografias de Chico foram objeto de estudo por parte de especialistas em diversas oportunidades para comprovar sua autenticidade. Um estudo feito pela Associação Médico Espírita de São Paulo em torno das comunicações de Chico Xavier apresentou os seguintes resultados ao passar as assinaturas dos "mortos" por um exame grafotécnico.

- 52,5% das assinaturas idênticas;
- 22,5% eram semelhantes; e
- 25% eram diferentes.

Em 95% dos casos, Chico Xavier não conhecia previamente o espírito comunicante. Outro dado interessante é que a família reconheceu o estilo do espírito enquanto encarnado em 100% dos casos.

Apesar de seu dom mediúnico mais conhecido ser a psicografia, ele também exercitou constantemente outras formas de mediunidade, como psicofonia, vidência, audiência, entre outras. Também realizava muitos fenômenos de efeitos físicos. Certa vez, perfumou a água que os assistentes traziam; outra vez, o ar. Contam algumas testemunhas que Chico, certa ocasião, foi rezar ao lado da cama de uma mulher muito doente e sem esperanças de vida. Enquanto o médium rezava, pétalas de rosas começaram a cair do teto sobre a doente. A mulher veio a falecer sem sofrimento, durante aquela madrugada. Algum tempo depois desse acontecimento, Emmanuel intercedeu junto a ele recomendando a suspensão dos trabalhos de efeitos físicos.

À medida que sua fama se propagava, surgiam histórias sobre poderes especiais que ele teria. Em diversas ocasiões, Chico foi obrigado a vir a público para desmentir histórias de que ele teria o poder de prever o futuro, fazer paralíticos andar, entre outras coisas.

Emmanuel

Emmanuel e Chico fizeram um trabalho em que um se confundia com o outro, tal o grau de afinidade entre Chico e o seu guia espiritual. Em 1927, quatro anos antes de encontrar o médium, Emmanuel já havia mantido contato com a médium Carmem Perácio em uma reunião espírita realizada na Fazenda Maquine, local em que Chico tomou contato com o espiritismo. Nesse contato, Emmanuel identificou-se a Carmem como amigo espiritual de Chico, relatando que esperava apenas o momento certo para iniciar a grande tarefa dos livros psicografados.

Conhecido como um espírito de alta luminosidade, Emmanuel teria feito parte da chamada Falange do Espírito da Verdade, grupo de espíritos que teria revelado a Kardec a doutrina espírita.

Seus livros dão um panorama do nascimento do cristianismo, em especial *Paulo e Estevão*; *Ave, Cristo!* e *Renúncia*, estes baseados em episódios históricos reais. Já trabalhos como *Caminho, verdade e vida*, *Pão nosso*, *Vinha de luz* e *Fonte viva* são considerados obras que possuem uma interpretação superior dos ensinamentos de Jesus.

Outras obras de destaque desse famoso espírito são *A caminho da luz*, um relato da história da civilização de acordo com os ensinamentos do espiritismo, e *Emmanuel*, livro composto de dissertações sobre ciência, religião e filosofia.

Logo nos primeiros contatos, Chico questionou Emmanuel sobre sua identidade em vidas anteriores, mas o espírito só revelou seu passado nos livros *Há 2000 anos* e *50 anos depois*.

Suas histórias terminaram por fascinar milhares de leitores e apresentaram-no como tendo encarnado diversas vezes na Terra na figura de personalidades bastante conhecidas, entre elas um senador romano chamado Públio Lêntulus Sura. Foi bisavô de Públio Lêntulus Cornélius, político romano, nascido no período terminal da República e contemporâneo de figuras históricas como Júlio César, Cícero e Catão.

Nessa época, Públio sofreu com a suspeita de ter sido traído pela esposa, Lívia, a quem verdadeiramente idolatrava e para a qual compunha versos como:

Alma gêmea da minha alma
Flor de luz da minha vida
Sublime estrela caída
Das belezas da amplidão [...]
És meu tesouro infinito
Juro-te eterna aliança
Porque eu sou tua esperança
Como és todo o meu amor!

Públio morreu em 79 d.C., em Pompeia, vítima das lavas impiedosas do vulcão Vesúvio. Nessa época, já estava cego e totalmente voltado aos princípios do cristianismo.

A etapa seguinte de suas encarnações se deu no ano 131 d.C. e foi descrita por ele no livro *50 anos depois*. Nessa obra, o senador renasce em Éfeso, e seu nome é Nestório. Trata-se de um homem muito culto que, na infância, teve a oportunidade de ouvir as pregações do apóstolo João. Porém, seu destino foi duro: tornou-se escravo quando atingiu a idade adulta e foi levado para servir em Roma.

Nestório faleceu no Coliseu de Roma junto com outros adeptos do cristianismo que foram condenados à morte.

Uma vez desencarnado, foi recebido por sua esposa da vida anterior, Lívia:

Foi quando um vulto de anjo e ou de mulher caminhou para ele, estendendo-lhe as mãos carinhosas e translúcidas... O mensageiro do céu ajoelhara-se junto do corpo ensanguentado e afagou-lhe os cabelos, beijando-o suavemente. O antigo escravo experimentou a carícia daquele ósculo divino e seu espírito cansado e enfraquecido adormeceu de leve, como se fora uma criança.

Sua mais recente encarnação se dá em 18 de outubro de 1517, em Portugal, porém seu nome entrou para a história brasileira como um dos mais importantes desse tempo: Manoel da Nóbrega, o padre missionário dedicado e batalhador, companheiro de José de Anchieta.

Essa revelação aconteceu numa sessão espírita realizada em 1949. Parte da mensagem que foi psicografada dizia:

> *O trabalho de cristianização, irradiado sob novos aspectos do Brasil, não é novidade para nós. Eu havia abandonado o corpo físico em dolorosos compromissos no século XV, na Península, onde nos devotávamos ao 'crê ou morre', quando compreendi a grandeza do país que nos acolhe agora. Tinha meu espírito entediado de mandar e querer sem o Cristo. As experiências do dinheiro e da autoridade me haviam deixado a alma em profunda exaustão. Quinze séculos haviam decorrido sem que eu pudesse imolar-me por amor do Cordeiro Divino, como o fizera, um dia, em Roma, a companheira do coração. Vi a floresta perder-se de vista e o patrimônio extenso entregue ao desperdício, exigindo o retorno à humanidade civilizada e entendendo as dificuldades do silvícola relegado à própria sorte. Nos azares e aventuras da terra dadivosa que parecia sem fim, aceitei a sotaina, de novo, e por Padre Nóbrega conheci de perto as angústias dos simples e as aflições dos degredados. Intentava o sacrifício pessoal para esquecer o fastígio mundano e o desencanto de mim mesmo, todavia, quis o Senhor que, desde então, o serviço americano e, muito particularmente, o serviço ao Brasil não me saísse do coração. A tarefa evangelizadora continua.*

No Brasil, foi o padre Manuel da Nóbrega quem escolheu o local onde seria a futura cidade de São Paulo, fundada em 25 de janeiro de 1554. Uma data que, para o padre, tinha um significado simbólico, uma vez que era o dia em que Paulo de Tarso havia se convertido ao cristianismo.

No dia de seu aniversário, em 18 de outubro de 1570, quando completava 53 anos de vida, desencarnou pela última vez.

Muitos anos depois, esse espírito estaria ao lado de Chico Xavier para ajudá-lo a cumprir sua missão. Logo nos primeiros contatos, em 1931, Emmanuel travou um diálogo com Chico passando para ele duas orientações básicas para o trabalho que deveria desempenhar e reforçando que, fora de qualquer uma delas, ele falharia em sua missão. Segue a descrição da primeira conversa travada e narrada posteriormente por Chico Xavier.

– Está você realmente disposto a trabalhar na mediunidade com Jesus?
– Sim, se os bons espíritos não me abandonarem... – respondeu o médium.
– Não será você desamparado – disse-lhe Emmanuel – mas para isso é preciso que você trabalhe, estude e se esforce no bem.
– E o senhor acha que eu estou em condições de aceitar o compromisso? – tornou Chico.
– Perfeitamente, desde que você procure respeitar os três pontos básicos para o serviço...
Porque o protetor se calasse o rapaz perguntou:
– Qual é o primeiro?
A resposta veio firme:
– Disciplina.
– E o segundo?
– Disciplina.
– E o terceiro?
– Disciplina.

A segunda orientação de Emmanuel para o médium foi descrita por ele da seguinte maneira:

> *– Lembro-me de que em um dos primeiros contatos comigo, ele me preveniu que pretendia trabalhar ao meu lado, por tempo longo, mas que eu deveria, acima de tudo, procurar os ensinamentos de Jesus e as lições de Allan Kardec e, disse mais, que, se um dia, ele, Emmanuel, algo me aconselhasse que não estivesse de acordo com as palavras de Jesus e de Kardec, que eu devia permanecer com Jesus e Kardec, procurando esquecê-lo.*

Chico narra ainda que, após essas palavras, Emmanuel lhe disse que eles teriam uma tarefa para realizar e que esta consistia inicialmente na redação, por meio da psicografia, de trinta livros. Naquele momento, ele se surpreendeu e, de pronto, afirmou a Emmanuel que a publicação de trinta livros demandaria muito dinheiro, e a sua situação financeira era muito precária. Emmanuel disse-lhe que a publicação dos livros seria feita por caminhos que Chico não poderia imaginar.

A profecia se cumpriu. Ao enviar sua primeira obra, intitulada *Parnaso de além-túmulo*, para um dos diretores da Federação Espírita Brasileira, ele teve seu livro aprovado para publicação.

Em 1947, já havia concluído a série de trinta livros e questionou a Emmanuel se o trabalho já estava cumprido. O espírito respondeu que eles iniciariam uma nova série de trinta livros.

Em 1958, ele finalizou a nova série e questionou novamente se a tarefa já estava cumprida. Emmanuel respondeu-lhe que os mentores espirituais haviam determinado que eles deveriam cumprir a missão de trazer cem livros por meio da psicografia de Chico.

Quando cumpriu a tarefa, achou que já havia finalizado e, ao questionar o mentor sobre isso, recebeu a seguinte resposta:

> *Os mentores da Vida Superior expediram uma instrução que determina que a sua atual reencarnação será desapropriada, em benefício da divulgação dos princípios espírita-cristãos, permanecendo a sua existência, do ponto de vista físico, à disposição das entidades espirituais que possam colaborar na execução das mensagens e livros, enquanto o seu corpo se mostre apto para as nossas atividades.*

Chico entendeu que psicografaria livros em prol da divulgação da mensagem espírita-cristã durante toda a sua existência, tendo chegado aos 92 anos de idade com 439 livros publicados. Conseguiu conciliar seu trabalho no campo da mediunidade com as atividades que desenvolveu como operário de uma fábrica de tecidos, servente de fiação, servente de cozinha, caixeiro de armazém e inspetor agrícola.

Falando sobre seu trabalho mediúnico, Chico afirmou:

> *Desde 1927 o meu convívio com as entidades espirituais foi contínuo. Quanto a recompensas, eu me sinto uma pessoa altamente recompensada, não do ponto de vista pecuniário, porque os livros pertencem às editoras e todos foram doados gratuitamente por meio*

de documentos legais assinados por nós. Mas há uma recompensa inestimável, que são amigos tão preciosos como eu os tenho. Eu devo a presença destes amigos na minha vida, aos livros, às mensagens e a reuniões que tive.

Outro depoimento, dado por ele ao responder um questionamento sobre a psicografia do livro *Paulo e Estevão*, dá a exata dimensão de como ele era extremamente disciplinado para conciliar seu trabalho com a redação das psicografias:

Eu trabalhei por 37 anos em uma repartição do Ministério da Agricultura. Eu chegava em casa por volta das 5:15 da tarde, tomava alguma coisa rápida, um chá, qualquer coisa, fechava a porta do quarto e trabalhava das 5:30 às duas da madrugada. Foi assim que foi recebido o livro Paulo e Estevão. *Eu tinha que receber, passar a limpo e depois eu datilografava. Isto durou muitos anos, mas quando me aposentei pensei que estava certo ao achar que era possível ser um médium e um profissional. É só disciplinar o tempo.*

Dessa maneira, colocou em prática a lição da disciplina ministrada por seu guia espiritual Emmanuel, nas palavras de Chico:

Sem obediência, sem disciplina, eu não acredito em progresso algum, porque toda a natureza é uma lição de disciplina. O sol não abandona seu posto pedindo férias, as árvores não reclamam da dilapidação de que são vítimas, os rios não protestam contra a poluição.

Como saber quantas provações e provocações ele teve de enfrentar, maledicências trazidas dentro do próprio meio espírita, além da perseguição de pessoas estranhas ao espiritismo e que questionavam suas obras?

Mas ele jamais desistiu do seu objetivo...

Em 19 de maio de 1975, Chico Xavier, então trabalhador da Comunhão Espírita Cristã decide que o Centro havia crescido tanto que não combinava mais com o trabalho simples que gostava de realizar e decidiu se desligar da Casa Espírita. Na ocasião, ele escreveu a seguinte carta para os diretores da Comunhão Espírita Cristã.

Prezados amigos:
Deus nos abençoe.

Agradecendo a generosidade que sempre me dispensastes, venho comunicar-vos o meu desligamento das tarefas dessa benemérita instituição, a partir desta data.
Em vista da minha impossibilidade de continuar cooperando nas atividades da CEC, constrangido como me sinto a prosseguir, em círculo de trabalho, tão estreitamente reduzido, quanto possível, em minhas singelas atividades de contatos públicos, formação de livros, recepção de mensagens mediúnicas e divulgação dos nossos princípios espíritas cristãos, a que me dedico pessoalmente, desde 1927, e, conquanto não seja diretor de qualquer dos departamentos de serviço da nossa organização, em cujas tarefas tenho tido a honra de colaborar, na condição de servidor pequenino, desde a sua fundação, rogo a gentileza de me dispensardes das responsabilidades de nossa benemérita casa de trabalho em que, unicamente por vossa bondade, me considerais incurso.
Com o meu profundo respeito e sincera gratidão a vossa digna orientação e valioso apoio de sempre, esclareço-vos que o meu desligamento da C.E.C se fundamenta nas seguintes razões:
1) inevitável desgaste orgânico aos 65 janeiros de idade física, completados no mês de abril findo, com 48 anos de atividades mediúnicas sem pausa, isto é, de 1927 até agora;
2) processo de hipertensão com características inquietantes, surgido em 1973, dificilmente sustado por tratamento constante, mas não extinto;
3) dificuldades crescentes na visão, por motivo de moléstia irreversível no olho esquerdo, desde 1931;
4) ausência semanal para tratamento de saúde;

5) reconhecida incapacidade orgânica, impossibilitando-me trabalhar em regime de compromissos institucionais, embora escassos, de que possa me incumbir no âmbito de minhas estreitas possibilidades pessoais, incluindo as viagens frequentes, em que, por força de circunstância, sou constrangido a variadas tarefas doutrinárias.

Chico continuou a carta esclarecendo que manteria a cessão de direitos autorais de algumas de suas obras para a Comunhão Espírita Cristã e que repassaria a eles cem alqueires de terra em Goiás, que foram doados a ele pela Dona Consuelo Caiado, que concordará com a transmissão da doação para os trabalhos sociais da CEC.

Ele então funda o Grupo Espírita da Prece, em 18 de julho de 1975, em uma modesta casa, em que viveu e trabalhou até os seus últimos dias de vida.

Lição de bom-humor

"A felicidade real começa em fazer a felicidade dos outros."
Chico Xavier

As dificuldades e a missão executada por Chico Xavier poderiam tê-lo feito uma pessoa série e sisuda. Afinal de contas, uma saúde tão debilitada e tão poucos momentos de descanso poderiam facilmente justificar certo mau-humor.

Mas Chico era exatamente o oposto. Adorava rir e, como bom mineirinho, era um exímio contador de "causos" e anedotas. Enquanto sua saúde permitiu, era comum contar histórias aos amigos após o término dos trabalhos espirituais. Não raro essas conversações se estendiam por toda a madrugada, já que Chico se habituou desde cedo a dormir muito pouco, cerca de 3 horas por dia já era o suficiente para recarregar sua energia.

Um dos casos mais engraçados contados por ele ocorreu certa noite, no Centro Espírita Luiz Gonzaga, durante uma sessão. Seu irmão teve de se ausentar e convidou Seu Manoel para atuar nos trabalhos no seu lugar durante aquelas horas.

Chico trabalharia como médium para receber espíritos que seriam doutrinados, e Seu Manoel apareceu com uma Bíblia embaixo do braço.

Em determinada comunicação, o espírito sugeriu a Seu Manoel que aplicasse com veemência o Evangelho no médium caso algum espírito perseguidor incorporasse nele.

Seu Manoel não teve dúvida. Ao primeiro espírito que iniciou a comunicação, ele tomou a Bíblia em mãos e começou a bater com veemência na cabeça de Chico Xavier, gritando "Tome Evangelho, tome Evangelho...". Chico passou alguns dias de cama para se recuperar do ocorrido e, em tom de brincadeira, dizia que fora uma das poucas pessoas a levar uma surra de Bíblia.

Outra situação cômica se deu após uma palestra em São Paulo, quando foi convidado para um jantar com pessoas da alta sociedade paulista.

Ao chegar à festa, Chico se impressionou com o luxo e a quantidade de comida. Sentou-se à mesa junto com os anfitriões. Nesse momento avistou uma moça carregando uma travessa cheia de comida e não teve dúvida. Foi ao encontro dela para ajudá-la a carregar a bandeja, dizendo: "Coitada, deve estar muito pesado". A anfitriã se apressou em dizer: "Chico, ela é a empregada. Esse é o trabalho dela". De nada adiantaram as explicações, pois ele não concordou com o que via.

O jantar prosseguiu. Os anfitriões não paravam de oferecer comida a ele, que julgando ser uma desfeita recusar algum prato, tratou de aceitar tudo até quase explodir de tanta comida.

No momento de ir embora, ouviu a anfitriã falar baixinho: "O Chico é muito bom, simples, mas tem um apetite de leão, como come esse menino!".

Mais um caso muito divertido que ele contava foi o ocorrido em 1958. Nesse ano, ele fez uma viagem de avião de Uberaba para Belo Horizonte. Durante o voo, o aparelho começou a trepidar bastante. Pouco a pouco, os passageiros começaram a se desesperar, achando que o avião cairia. Chico também foi se deixando contagiar pelo clima de tensão e, quando percebeu, já estava gritando: "Valei-me Deus, nos ajude, salve nossas vidas...".

Nesse momento, avistou a figura de Emmanuel, seu mentor espiritual, e travou com ele o seguinte diálogo:

"– Nós estamos em perigo, Emmanuel?"

A resposta foi curta.

"– Sim, e daí? Vocês não são privilegiados."

Ao ouvir a resposta, Chico voltou a gritar, pedindo socorro a Deus. Emmanuel, vendo aquela cena, asseverou:

"– Você não acha melhor ficar quieto e dar testemunho de sua confiança na vida futura?"

Chico insistiu:

"– Mas estamos apavorados porque vamos morrer. Nós estamos realmente em perigo?"

"– Sim, mas, por favor, cale-se para não afligir os outros. Morra com fé e educação."

Emmanuel deu de ombros e foi embora, mas não adiantou nada, e Chico voltou a gritar até que o avião pousasse, a salvo, em Belo Horizonte.

Contou essa história em várias oportunidades, para mostrar a todos que, por mais que se conheça tudo sobre a morte, ainda é normal apavorar-se com ela.

Lição de caridade

"A caridade é um exercício espiritual. Quem pratica o bem coloca em movimento as forças da alma. Quando os espíritos nos recomendam, com insistência a prática da caridade, eles estão nos orientando no sentido de nossa própria evolução; não se trata apenas de uma indicação ética, mas de profundo significado filosófico."

Chico Xavier

Chico era uma pessoa diferenciada. No Natal, enquanto a maioria das pessoas se reunia em torno da mesa para comemorar com familiares, ele saía para visitar pessoas carentes e que não tinham condições de saírem de seus barracos. Nessas visitas, ele levava sempre um presente para cada um, sentava junto das pessoas, contava histórias e fazia orações.

Além disso, inspirava outras pessoas, por meio da distribuição de mantimentos que promovia desde os tempos em que vivia em Pedro Leopoldo.

Uma destas oportunidades em que pôde inspirar pessoas na prática da caridade foi pelos idos de 1928. Nesta época, em Pedro Leopoldo, nas sessões do Centro Espírita Luiz Gonzaga, era comum procurarem Chico quando precisavam de auxílio e não sabiam mais a quem recorrer. Certa ocasião, chegou até o Centro um morador de rua cego, levado por algumas pessoas. Ele estava muito ferido após sofrer uma queda no viaduto da Central do Brasil, em Pedro Leopoldo. Chico prontamente o recebeu e começou a tratá-lo em um pequeno cômodo alugado ao lado do Centro. Como ele só conseguia estar com o acidentado na parte da noite, já que trabalhava durante todo o dia, resolveu colocar um anúncio no jornal da cidade para tentar encontrar alguém que pudesse tomar conta do senhor cego durante o dia e à noite ele continuaria responsável por auxiliá-lo.

Dias e mais dias se passaram sem que ninguém se oferecesse para a incumbência, até que apareceram lá duas prostitutas, que, como não é de se estranhar em se tratando de cidade pequena, já eram bem conhecidas da população.

Aceitou de bom grado o auxílio prestado pelas meretrizes que durou até que o cego recuperasse-se do acidente. Durante este período, todos os dias, Chico, as duas mulheres e o acidentado faziam orações juntos. Após a recuperação dele, as mulheres disseram a Chico que aquele período fornecendo auxílio e orando com ele havia transformado a vida delas, que agora se mudariam para Belo Horizonte a fim de obter um emprego mais digno, e deixariam a prostituição definitivamente.

Quando seu ex-patrão, José Felizardo faleceu na mais completa miséria, Chico foi o primeiro a buscar ajuda para que ele tivesse um enterro digno, saindo de porta em porta solicitando ajuda para sepultar o amigo. Conta-se que até um mendigo cego ajudou com o dinheiro que havia recebido de esmola.

Há que registrar também que várias centenas de instituições de solidariedade social foram criadas e inspiradas por seu exemplo e obra: orfanatos, escolas para os pobres, lares de deficientes, sopas dos pobres, campanhas do quilo, ambulatórios médicos, alfabetização de adultos, bibliotecas, entre outras.

De acordo com a Federação Espírita Brasileira, os direitos autorais dos livros de Chico Xavier, cedidos em cartório, beneficiam mais de 100 mil famílias.

Uma das instituições criadas com a ajuda e a inspiração dele foi o Hospital do Fogo-Selvagem. Tudo começou em 1959, quando a enfermeira Aparecida Conceição Ferreira deixou seu emprego na Santa Casa de Misericórdia de Uberaba para cuidar de doze vítimas de fogo-selvagem, doença conhecida cientificamente como *pênfigo foliáceo*. Ela se sensibilizara, pois os doentes haviam recebido alta do hospital sem mesmo estarem curados da doença.

Porém, as vítimas não tinham um local para ficar, e Aparecida levou-os para o único local possível: sua casa. Vizinhos e parentes não aceitaram aquela situação, pois acreditavam que a doença fosse contagiosa. No entanto, ela estava decidida, e se tivesse de escolher entre cuidar daqueles enfermos ou sua família, não hesitaria em ficar com a primeira opção.

Alguns dias depois, Aparecida foi autorizada a levar os enfermos para um pavilhão no Asilo São Vicente de Paula. Pouco a pouco, o número de pacientes começou a crescer, e ela tratava todos com o mesmo amor e cuidado.

Como o número de pacientes já estava muito grande, resolveu pedir ajuda a Chico Xavier e se dirigiu até a sua casa. Naquela oportunidade, não conseguiu falar com ele; mas teve enorme surpresa quando, no outro dia, recebeu uma doação de roupas para os doentes, vinda dele. Dias depois, o médium fez-lhe uma visita e entregou uma quantia em dinheiro para que pudesse atender a todos os que a procuravam.

Passado algum tempo, o número de pacientes ainda crescia e Aparecida resolveu visitar novamente o médium para contar-lhe seu objetivo de construir um hospital e que, para isso, iria a São Paulo solicitar ajudar.

Chico, conhecedor das dificuldades que ela teria na cidade, auxiliou-a entregando o cartão de visitas de uma pessoa que poderia ajudá-la em São Paulo. Tratava-se de Assis Chateaubriand, magnata das comunicações, dono dos *Diários Associados* e da TV Tupi. Este cedeu espaço em seus veículos de comunicação para uma campanha, a fim de receber doações para a construção do Hospital do Fogo-Selvagem.

A luta de Aparecida foi difícil. Certa vez, ela estava perto do Viaduto do Chá pedindo dinheiro para a construção do hospital quando acabou presa, acusada de solicitar doações para uma entidade fictícia. Resultado: passou oito dias na prisão, até conseguir provar sua honestidade.

Atualmente, o Hospital do Fogo-Selvagem é considerado referência no tratamento dessa doença e é mantido com muita dificuldade por meio de doações. Enquanto viveu, Chico sempre fez questão de visitar e auxiliar esse hospital.

Durante toda a sua vida, ele teve oportunidade de exemplificar a grande máxima do espiritismo de que fora da caridade não há salvação, entendendo por caridade qualquer ato em prol do próximo, qualquer atitude de desprendimento, desde um simples gesto de sorrir, escutar alguém que esteja precisando, até prestar uma ajuda financeira.

Por muito tempo, as filas que se formavam para receber suas doações eram imensas. O médium distribuía sorrisos, dava conselhos, ajudava com dinheiro e comida aos pobres.

Independente da atitude alheia ele sempre estava disposto a ajudar, mas nem os trabalhos de distribuição de alimentos em cestas básicas realizados pelo médium em Uberaba eram poupados da maledicência de alguns.

Certa vez, alguns de seus colaboradores notaram que uma mulher rica, conhecida da sociedade uberabense, toda semana, religiosamente, tomava a sopa distribuída por Chico e pegava cestas básicas. Indignados e revoltados, os colaboradores foram levar a situação a ele para que tomasse providências.

Porém, o médium, na sua simplicidade, contornou a insatisfação dos colaboradores esclarecendo "Meus filhos, que humildade dessa senhora! Enfrenta uma fila com sol ou chuva e, pacientemente, aguarda a sua vez para pegar mantimentos". Uma lição para todos.

Nos últimos tempos, as doações financeiras reduziram, mas mesmo com a diminuição, nos dias em que Chico trabalhava no Centro Espírita da Prece, a espera para participar das sessões espíritas e ver o médium podia demorar até 3 dias. Porém, nada fazia com que as milhares de pessoas que o procuravam mensalmente deixassem de aguardar pela simples oportunidade de vê-lo.

Lição da palavra

"Sempre que chamados à crítica, respeitemos o esforço nobre dos semelhantes. Para construir, são necessários amor e trabalho, estudo e competência, compreensão e serenidade, disciplina e devotamento. Para destruir, porém, basta, às vezes, uma só palavra."

Chico Xavier

Chico Xavier sempre foi muito hábil com as palavras. Mesmo tendo concluído apenas o curso primário na cidade de Pedro Leopoldo, interior de Minas Gerais, foi um mestre no uso delas, sabendo exatamente o que dizer em cada momento e, mais do que isso, sabendo o momento de silenciar ante uma agressão verbal ou física, mostrando o seu preparo e o reconhecimento do poder que uma palavra tem quando bem ou mal dirigida.

Uma das histórias mais conhecidas a respeito dele é a da "água da paz". Seu início se deu na época das sessões no Centro Espírita Luiz Gonzaga, em que eram comuns discussões a respeito de mediunidade. Chico começou a se irritar com essas discussões, e mesmo explicando o processo repetidas vezes, dificilmente era compreendido.

Em um desses momentos, o espírito de sua mãe apareceu a ele e ensinou-lhe uma maneira para acabar com essa irritação, sugerindo que ele passasse a usar a água da paz.

Chico ficou contente com a indicação e começou a procurar o medicamento nas farmácias, mas não teve sucesso na sua busca. Duas semanas depois, contou à mãe que não estava encontrando a água da paz, ao que ela lhe disse que ele não precisaria viajar para procurar e que seria possível conseguir o remédio dentro de casa:

> *Quando alguém lhe provocar irritações, pegue um copo de água do pote, beba um pouco e conserve o resto na boca. Não jogue fora nem engula. Enquanto durar a tentação de responder, deixe-a banhando a língua. Esta é a água da paz.*

Chico retransmitiu esse conselho durante toda a sua existência, mostrando o poder da palavra e aconselhando que, no momento em que não tivermos equilíbrio suficiente para usar as melhores palavras, devíamos simplesmente silenciar e aguardar que a irritação passe, evitando assim discussões acaloradas que, em geral, não levam a nada de bom.

"Graças a Deus, não me lembro de ter revidado a menor ofensa das inúmeras que sofri, certamente objetivando, todas elas, o meu aprendizado, e não me recordo de que tenha, conscientemente, magoado a quem quer que fosse...", dizia Chico, que reforçava a afirmação com o ensinamento dado por Emannuel: "Chico, quando você não tiver uma palavra que auxilie, procure não falar nada!".

Outra grande lição que aprendeu foi usar a palavra para auxiliar a quem quer fosse, mesmo que não soubesse exatamente a quem. Em 1932, ele recebeu essa importante lição de seu mentor espiritual Emmanuel. As sessões do Centro Espírita Luiz Gonzaga estavam cada vez menos concorridas. Pouquíssimas pessoas iam lá para assisti-la e os colaboradores Carmem Perácio e José Hermínio Perácio estavam de partida para Belo Horizonte. Seu irmão José Xavier e a esposa Geni Xavier, também tiveram que se ausentar das sessões. O primeiro, por necessidade de ter que trabalhar também durante a noite para pagar uma dívida, e a segunda, por problemas de saúde.

Chegando ao centro habitualmente para uma sessão, Chico se viu sozinho, sem colaboradores e sem nenhuma pessoa para assistir ao trabalho. Olhando a cena, achou melhor não realizar o trabalho, já que, na sua cabeça, não haveria sentido falar para as paredes.

Porém, no momento em que ele deixava a pequena sala do Centro Espírita Luiz Gonzaga, ele escutou a voz de Emmanuel, que lhe disse que não deveria ir embora. Chico argumentou que não havia frequentadores. "– E, nós? Não precisamos ouvir o Evangelho?" Foi a pergunta que ouviu de Emmanuel e para a qual não tinha como argumentar.

Com essa orientação, Chico abriu os trabalhos normalmente e durante duas horas falou sobre temas do Evangelho. Quem passasse na rua e olhasse para o interior do centro tinha a clara sensação de que ele estava louco, pois falava entusiasmadamente para as cadeiras vazias que ali se encontravam.

Pouco a pouco, foi desenvolvendo sua capacidade de ver os espíritos com mais facilidade e, assim, pôde visualizar dezenas deles que ali estavam para assistir a pregação do médium.

Chico trouxe a palavra a uma nova dimensão, a do consolo. Era isso o que a maioria das pessoas procurava quando ia até Uberaba visitá-lo.

Ele afirmava que devemos falar para esclarecer, mas principalmente para consolar, pois a dor e o sofrimento esperam consolo em toda parte.

Visitando presos constantemente para levar-lhes palavras de consolo, jamais pregou sobre o espiritismo. Muito pelo contrário, sempre dizia que não achava correto se aproveitar da situação de desespero daquelas pessoas para convertê-las ao espiritismo, julgando que o seu papel era somente o de levar consolo por meio das palavras. Além disso, sempre dizia que a criatura justa e caridosa não precisa de um rótulo religioso, pois ela já está em afinidade com as leis universais do bem-eterno.

> *Nunca quis mudar a religião de ninguém, porque, positivamente, não acredito que a religião A seja melhor que a religião B... Nas origens de toda religião cristã está o pensamento de Nosso Senhor Jesus Cristo. Se Allan Kardec tivesse escrito que "fora do espiritismo não há salvação", eu teria ido por outro caminho. Graças a Deus ele escreveu "fora da caridade", ou seja, fora do amor não há salvação...*

Não raro, Chico dizia que estava profundamente triste em ver a situação em que muitos espíritas chegavam ao plano espiritual. Diversos dirigentes chegavam lá em estado totalmente deplorável.

Um deles, Manoel Quintão, médium, dirigente e tradutor de *Obras Espíritas* do espírito Rochester, narrou a Chico sua dificuldade de conviver no plano espiritual sem o seu cigarro de palha, que era viciado em vida.

Outros tantos foram os exemplos, muitos deles piores ainda que os de Quintão. Chico evitou citar os nomes para não colocar familiares de grandes nomes do Espiritismo em situação constrangedora.

Uma das histórias narradas por Chico sobre a necessidade de os próprios espíritas seguiram os ensinamentos de Kardec foi um relato que chegou ao seu ouvido de um espírita que vivia em Uberlândia. Pouco após ingressar no espiritismo, o homem rapidamente começou a devorar as obras de Allan Kardec. E, mais do que isso, cada vez que tinha um problema, abria o *Evangelho Segundo o Espiritismo* ao acaso e lia a todos o trecho, apontando que ali havia resposta para tudo. Um dia, um raio caiu no sítio que estava, bem ao seu lado, e matou um gato que ali estava. O homem, naquele momento se sentiu altamente protegido pelos espíritos por ter se salvado e rapidamente foi pegar o evangelho e abri-lo ao acaso para ver o que os espíritos diriam para ele sobre o episódio. Ao ver a resposta, fechou a cara, pois lá estava escrito: "Se fosse um homem de bem, teria morrido".

Todos caiam na gargalhada quando Chico contava essa história, mas poucos a compreendiam e seguiam a orientação de humildade.

Lição de vida

"Embora ninguém possa voltar atrás para fazer um novo começo, qualquer um pode começar agora a fazer um novo fim."
Emmanuel, em psicografia de Chico Xavier

Chico, durante a existência, teve a oportunidade de receber em seu centro milhares de pessoas que sofriam sérios remorsos de atos que haviam praticado. Crimes como roubos e assassinato, aborto, pequenos furtos, entre outras coisas. Também recebia muitos desesperançados que, após um determinado fracasso, não conseguiam seguir adiante sem se prender ao fantasma gerado por aquele acontecimento. Término de relacionamentos, casamentos, falência de empresa, perda de emprego são alguns dos tipos de conflitos que faziam as pessoas procurar por conselhos de Chico Xavier.

Ele afirmava que Deus, na sua sabedoria, deu ao homem o esquecimento de suas vidas passadas para que tivesse oportunidade de um recomeço, sem se prender a velhos fantasmas.

Muitas das milhares de mensagens trazidas por Chico, aos parentes que perderam pessoas queridas, traziam como temática a necessidade de continuar vivendo, de deixar de lado o remorso pelo que não se fez e de reavivar o ânimo.

Chico nunca foi homem de se lamentar e nem de ficar preso a

acontecimentos do passado. Trouxe sempre em seu coração a certeza de que cada dia é uma nova oportunidade.

Os espíritas, em particular, sempre o questionavam sobre sua vida passada, sobre quem teria sido. No entanto, mesmo sabendo sobre existências passadas, sempre evitou falar no assunto, pois sabia que muito mais importante do que isso era o que ele estava fazendo no momento.

Nos últimos anos e já com a saúde bastante prejudicada, Chico reduziu um pouco a quantidade de trabalho, passando a ser preservado do assédio dos milhares de pessoas que iam até Uberaba para vê-lo. A tarefa de preservá-lo coube a seu filho adotivo, Eurípedes Higino dos Reis, que selecionava apenas poucas pessoas para vê-lo pessoalmente.

Por esta tarefa, Eurípedes Higino era muito criticado pelas pessoas que iam até Uberaba. Foram muitas as vezes em que ele foi acusado de cobrar "pedágio" para quem quisesse visitar Chico Xavier ou privilegiar o acesso de pessoas famosas. Muitos consideravam que na casa de Chico Xavier residia um santo, Chico, e um diabo, Eurípedes.

É digno de nota que, mesmo sofrendo investigação pelo Ministério Público, nada foi encontrado que comprovasse que Eurípedes recebia dinheiro em nome de Chico Xavier.

Eurípedes Higino foi a pessoa que mais tempo permaneceu próxima ao médium. Apesar de Chico ter tido muitos amigos em vida, poucos tiveram a paciência de acompanhá-lo durante muito tempo, pois ele tinha uma vida de abnegação e os amigos, de uma maneira ou de outra, acabavam tendo que participar dos trabalhos de caridade dele.

Antes de falecer, Chico teria combinado com Eurípedes Tahan Vieira, seu médico, com seu filho adotivo e com a enfermeira Katia Maria um código para que suas comunicações pudessem ser autenticadas e reconhecidas após o seu desencarne. Três informações deveriam constar da primeira mensagem enviada do Além. Ele revelaria um dos seus segredos mais bem guardados: quem ele teria sido na última encarnação.

Seis meses após sua morte, o médium Carlos Baccelli escreveu *Na próxima dimensão*, pelo espírito do médico Inácio Ferreira, ex-diretor clínico do Hospital Psiquiátrico sanatório espírita de Uberaba.

Na obra, revelou que assistira a passagem de Chico e que este seria a reencarnação de Kardec.

Em carta aberta, o médium Carlos Baccelli enumerou os motivos que o fazem ter a convicção pessoal de que Chico Xavier foi a encarnação de Allan Kardec. Entre esses motivos, destacam-se:

– Após 2 de abril de 1910, data do nascimento de Chico, o espírito de Allan Kardec não mais estabeleceu, ele mesmo, qualquer contato mediúnico confiável com os encarnados.

– O Espírito da Verdade, coordenador espiritual de imensa equipe que o assessorava e um dos seus protetores, havia informado, em mais de uma ocasião, que dentro de pouco tempo, ele tornaria a reencarnar para dar sequência à obra iniciada.

– Chico abraçou a mediunidade aos 17 anos de idade; os espíritos haviam dito a Allan Kardec que, quando ele voltasse à Terra, seria em condições que lhe permitissem trabalhar desde cedo.

– Se Chico não foi a reencarnação do Codificador, conclui-se naturalmente que ele não reencarnou e que, portanto, o Espírito da Verdade se enganou no que lhe disse, o que – convenhamos – colocaria em questão a sua condição espiritual.

– Se a espiritualidade superior tivesse mudado de planos – o que é inconcebível, depois de anunciá-los –, por que o grande silêncio de Allan Kardec, através da maior antena psíquica do século: Chico Xavier?

– Para os íntimos, ele revelava um conhecimento da vida do Codificador que não encontramos em nenhuma de suas biografias.

– Em Uberaba, e acreditamos que em outras cidades, vários médiuns confirmavam que Chico era a reencarnação de Allan Kardec, inclusive a notável médium Antusa Ferreira Martins, que era surda-muda e analfabeta, portanto incapaz de ser influenciada por especulações nesse sentido.

– Chico jamais confirmou ser a reencarnação de Allan Kardec; ao contrário, quando não fazia questão de negá-lo, inclusive em entrevistas, respondia reticentemente sobre o assunto.

Outra obra de Carlos Baccelli batizada de *Fundação Emmanuel*, e ditada pelo espírito do Doutor Inácio Ferreira de Oliveira, ex-diretor do hospital psiquiátrico de Uberaba narra o suposto encontro dele com Chico Xavier, em visita a fundação, e reforça a condição de Chico como um espírito altamente iluminado e que seria o mesmo que deu vida a Allan Kardec, para codificar a doutrina espírita.

O médium, que conviveu com ele durante anos, e tendo se tornado um de seus principais biógrafos, publicou ainda, após o desencarne de Chico, livros como *Chico Xavier responde* em que, segundo ele, o espírito de Chico Xavier fala sobre aspectos de sua personalidade como Allan Kardec e como Chico Xavier, afirmando, entre outras, se sentir mais Chico do que Kardec.

Esses livros causaram bastante polêmica no meio espírita e ainda são motivo de discussões acaloradas mas, certamente, pensar na união das duas personalidades em um mesmo espírito seria certamente um desfecho inusitado e digno de todos os fenômenos extraordinários que Chico promoveu em vida.

O que você deve saber sobre Kardec e Chico

"Nascer, Morrer, Renascer ainda e Progredir sem cessar, tal é a Lei."
Allan Kardec

Seu nome é Hippolyte Léon Denizard Rivail, mas ele se tornou mundialmente conhecido como Allan Kardec. Nascido em Lion, França, aos 3 de outubro de 1804, ele não tinha ideia do seu destino.

Chamado pelos espíritas de Codificador, Allan Kardec foi o primeiro pesquisador a estudar em detalhes os fenômenos ditos sobrenaturais batizados de "mesas girantes" que se realizavam por toda a Europa, América e, em particular, na França.

Mas o resultado dessa pesquisa levou-o ao conhecimento de algo que jamais poderia supor, algo totalmente diferente do que sua visão de cientista esperava encontrar...

Dotado de notável inteligência, Hippolyte tornou-se, ainda muito jovem, bacharel em Letras e em Ciências. Falava corretamente alemão, inglês, italiano, espanhol e holandês.

Em seus estudos, teve influência do célebre professor Pestalozzi, do qual bem cedo se tornou um dos mais eminentes discípulos e colaborador.

Membro de várias sociedades sábias, publicou diversas obras, como *Curso prático e teórico de Aritmética* e *Gramática francesa clássica*, entre outras, as quais venderam muito e fizeram-no ganhar um bom dinheiro. Nessa época, Hippolyte tinha seu nome bastante conhecido e respeitado, muito antes de imortalizar o nome Allan Kardec.

Prosseguindo em sua carreira pedagógica, Hippolyte poderia viver feliz e tranquilo, com sua fortuna construída pelo trabalho, mas a sua missão o chamava a uma obra maior.

Foi em 1854 que ele ouviu falar nas mesas girantes pela primeira vez. Isso ocorreu durante uma conversa com o Sr. Fortier, magnetizador, com o qual mantinha relações em razão dos seus estudos sobre o magnetismo. Nessa conversa, o Sr. Fortier disse-lhe:

> *Eis aqui uma coisa que é bem mais extraordinária: não somente se faz girar uma mesa, magnetizando-a, mas também se pode fazê-la falar. Interroga-se, e ela responde.*
> *– Isso, replicou Hippolyte, é uma outra questão; eu acreditarei quando vir e quando me tiverem provado que uma mesa tem cérebro para pensar, nervos para sentir, e que se pode tornar sonâmbula. Até lá, permita-me que não veja nisso senão uma fábula para provocar o sono.*

Tal era a princípio o estado de espírito de Hippolyte. Assim, ele se encontrou, muitas vezes, não negando coisa alguma, mas pedindo provas e querendo ver e observar para crer.

Nessa época de sua vida, de 1854 a 1856, um novo horizonte se apresenta. O nome Hippolyte Léon Denizard Rivail sai de cena para ceder lugar ao de Allan Kardec, que a fama levou ao mundo.

Eis, a seguir, como Allan Kardec revela as suas dúvidas, as suas hesitações e também a sua iniciação:

> *Eu me encontrava, pois, no ciclo de um fato inexplicado, contrário, na aparência, às leis da Natureza e que minha razão repelia. Nada tinha ainda visto nem observado; as experiências feitas em presença de pessoas honradas e dignas de fé me firmavam na possibilidade*

do efeito puramente material; mas a ideia, de uma mesa falante, não me entrava ainda no cérebro.

No ano seguinte, mais exatamente em 1855, ele encontrou o Sr. Carlotti, um grande amigo, que discorreu acerca desses fenômenos durante mais de uma hora, com o entusiasmo que ele punha em todas as ideias novas. "Ele foi o primeiro a falar-me da intervenção dos espíritos, e contou-me tantas coisas surpreendentes que, longe de me convencerem, aumentaram as minhas dúvidas", relatou Kardec.

Pouco tempo depois, ele teve contato pela primeira vez com um fenômeno. O relato dado por Kardec demonstra suas primeiras impressões:

Foi aí, pela primeira vez, que testemunhei o fenômeno das mesas girantes que saltavam e corriam, e isso em condições tais que a dúvida não era possível. Aí vi também alguns ensaios muito imperfeitos de escrita mediúnica com o auxílio de uma cesta. Minhas ideias estavam longe de se haver modificado, mas naquilo havia um fato que devia ter uma causa. Entrevi, sob essas aparentes futilidades e espécie de divertimento, que ali se fazia alguma coisa séria e que estava presenciando a revelação de uma nova lei, que me prometi aprofundar.

A ocasião se me ofereceu e pude observar mais atentamente do que tinha podido fazer. Em um dos serões da Sra. Plainemaison, fiz conhecimento com a família Baudin, que se ofereceu no sentido de me permitir assistir às sessões que se efetuavam em sua casa, e às quais eu fui, desde esse momento, muito assíduo. Foi aí que fiz os meus primeiros estudos sérios em espiritismo, menos ainda por efeito de revelações que por observação. Apliquei a essa nova ciência, como até então o tinha feito, o método da experimentação; nunca formulei teorias preconcebidas, observava atentamente, comparava, deduzia as consequências; dos efeitos procurava remontar às causas pela dedução, pelo encadeamento lógico dos fatos, não admitindo como válida uma explicação, senão quando ela podia resolver todas as dificuldades da questão.

Desde o início, Kardec viu nesses fenômenos a solução do que havia procurado por toda a sua vida e entendeu que aquilo poderia revolucionar todas as ideias e crenças tidas até aquele momento.

Kardec passou a observar esse fenômeno e, assim, descobriu o princípio de novas leis naturais que regem as relações entre o mundo visível e o mundo invisível.

Suas obras principais sobre a doutrina espírita foram *O livro dos espíritos*, referente à parte filosófica e cuja primeira edição apareceu em 18 de abril de 1857; *O livro dos médiuns*, relativo à parte experimental e científica (janeiro de 1861); *O Evangelho segundo o espiritismo*, referente à parte moral (abril de 1864); *O céu e o inferno ou a justiça de Deus segundo o espiritismo* (agosto de 1865); *A gênese, os milagres e as predições* (janeiro de 1868); e *A revista espírita*, jornal de estudos psicológicos, periódico mensal criado em 1 de janeiro de 1858.

Ele também fundou em Paris, em 1 de abril de 1858, a primeira sociedade espírita regularmente constituída, sob a denominação de Sociedade Parisiense de Estudos Espíritas.

Trabalhador incansável, Allan Kardec faleceu aos 31 de março de 1869. Morreu conforme viveu: trabalhando. Sofria, desde longos anos, de uma enfermidade do coração, que só podia ser combatida por meio de repouso intelectual e pequena atividade física. Amélia Boudet, esposa de Allan Kardec, tinha 74 anos por ocasião da morte de seu esposo. Viveu até 1883, ano em que, aos 21 de janeiro, veio a falecer também, na idade de 89 anos, sem herdeiros diretos.

Uma noite, Kardec recebeu de seu espírito protetor uma comunicação na qual lhe dizia, entre outras coisas, tê-lo conhecido em uma precedente existência, quando, no tempo dos druidas, viviam juntos nas Gálias. Ele se chamava, então, Allan Kardec, e como a amizade que lhe havia devotado só fazia aumentar, prometia-lhe esse espírito ajudá-lo na tarefa importante a que ele era chamado. No momento de publicar *O livro dos espíritos*, sua primeira obra sobre espiritismo, o autor ficou muito embaraçado em resolver como o assinaria: com o seu nome de batismo ou com um pseudônimo. Sendo o seu nome muito conhecido no mundo científico, em virtude dos seus trabalhos anteriores, e podendo originar uma confusão, talvez mesmo prejudicar o êxito do empreendimento, ele optou por assinar com o nome de Allan Kardec, que segundo lhe revelara o guia, ele tivera no tempo dos druidas.

Os livros de Allan Kardec eram feitos a partir de entrevistas com os espíritos, por intermédio de médiuns. Um dos relatos que mais impressionaram Kardec foi o primeiro contato com seu espírito familiar. Kardec estava em seu gabinete de trabalho quando ouviu ressoarem pancadas repetidas na madeira. No dia seguinte, na casa do Sr. Baudim, ele solicitou explicações aos espíritos sobre o fenômeno:

> *Kardec – Ouvistes o fato que acabo de narrar; podereis dizer-me a causa dessas pancadas que se fizeram ouvir com tanta insistência?*
> *Espíritos – Era o teu espírito familiar.*
> *K. – Com que fim, vinha ele bater assim?*
> *E. – Queria comunicar-se contigo.*
> *K. – Podereis dizer-me o que queria ele?*
> *E. – Podes perguntar a ele mesmo, porque está aqui.*
> *K. – Meu espírito familiar, quem quer que sejais, agradeço-vos terdes vindo visitar-me. Quereis ter a bondade de dizer-me quem sois?*
> *E. – Para ti chamar-me-ei a Verdade, e todos os meses, durante um quarto de hora, estarei aqui, à tua disposição.*
> *K. – Ontem, quando batestes, enquanto eu trabalhava, tínheis alguma coisa de particular a dizer-me?*
> *E. – O que eu tinha a dizer-te era sobre o trabalho que fazias; o que escrevias desagradava-me e eu queria fazer-te parar.*
> *Nota – O que eu escrevia era precisamente relativo aos estudos que fazia sobre os espíritos e suas manifestações.*
> *K. – A vossa desaprovação versava sobre o capítulo que eu escrevia, ou sobre o conjunto do trabalho?*
> *E. – Sobre o capítulo de ontem: faço-te juiz dele. Torna a lê-lo esta noite; reconhecer-lhe-ás os erros e os corrigirás.*
> *K. – Eu mesmo não estava muito satisfeito com esse capítulo e o refiz hoje. Está melhor?*
> *E. – Está melhor, mas não muito bom. Lê da terceira à trigésima linha e reconhecerás um grave erro.*

K. – Rasguei o que tinha feito ontem.
E. – Não importa. Essa inutilização não impede que subsista o erro. Relê e verás.
K. – O nome de Verdade que tomais é uma alusão à verdade que procuro?
E. – Talvez, ou, pelo menos, é um guia que te há de auxiliar e proteger.
K. – Posso evocar-vos em minha casa?
E. – Sim, para que eu te assista pelo pensamento; mas, quanto a respostas escritas em tua casa, não será tão cedo que as poderás obter.
K. – Podeis vir mais frequentemente que todos os meses?
E. – Sim; mas não prometo senão uma vez por mês, até nova ordem.
K. – Animastes alguma personagem conhecida na Terra?
E. – Disse-te que para ti eu era a Verdade, o que da tua parte devia importar discrição; não saberás mais que isto.

De volta à casa, Allan Kardec apressou-se a reler o que escrevera e pôde verificar o grave erro que havia cometido.

Em 1861, o bispo de Barcelona ordenou que fossem queimadas trezentas obras espíritas em um auto de fé. Allan Kardec poderia promover uma ação diplomática e obrigar o governo espanhol a efetuar o retorno das obras. Os espíritos, porém, o dissuadiram disso, dizendo que era preferível para a propaganda do espiritismo deixar essa ação seguir o seu curso.

Assim, o bispo de Barcelona fez queimar em praça pública as obras incriminadas.

Uma multidão incalculável aglomerava-se e cobria a esplanada em que ardia a fogueira. Quando o fogo consumiu os trezentos volumes espíritas, o padre e os seus ajudantes se retiraram cobertos pelas maldições dos numerosos assistentes, que gritavam: "Abaixo a Inquisição!".

Muitos anos após o desencarne de Allan Kardec, os espíritas puderam reconhecer no trabalho de Chico Xavier uma semelhança bastante grande com a obra dele. Porém, claramente a figura de Chico Xavier não precisa estar associada à reencarnação de Allan Kardec para ter sua importância reconhecida. Um e outro têm seu papel de destaque assegurado pelo trabalho desenvolvido, passando a segundo plano qualquer discussão sobre quem seria quem.

Chico sempre viveu sem a preocupação de dizer por quais encarnações tinha passado. Sua visão da existência pode ser resumida nesta sua mensagem, ditada por Emmanuel:

Nasceste no lar que precisavas,
Vestiste o corpo físico que merecias,
Moras onde melhor Deus te proporcionou,
De acordo com teu adiantamento.
Possuis os recursos financeiros coerentes
Com as tuas necessidades, nem mais,
nem menos, mas o justo para as tuas lutas terrenas.
Teu ambiente de trabalho é o que elegeste
espontaneamente para a tua realização.
Teus parentes, amigos são as almas que atraíste,
com tua própria afinidade.
Portanto, teu destino está constantemente sob teu controle.

Ele popularizou a palavra reencarnação. Depois dele, segundo IBGE, quase metade dos praticantes do catolicismo acreditam em reencarnação, mesmo a Igreja Católica sendo totalmente contrária a este conceito.

Hoje a ideia de muitas existências em corpos diferentes pelo mesmo espírito ganha cada vez mais força e parece lógica para a maioria das pessoas.

Porém, antes de Chico Xavier não era exatamente assim. Foram as inúmeras mensagens do médium atestando a possibilidade real de reencarnação que despertaram em muitos a crença nas vidas sucessivas. A partir daí o interesse em saber quem foi quem em encarnações passadas tornou-se relativamente comum entre os adeptos do espiritismo.

Chico, possuidor de uma mediunidade amplamente desenvolvida, quando era permitido pela espiritualidade fazia comentários sobre a existência passada de pessoas comuns e de personalidades, mesmo se reservando de comentários sobre sua existência.

Em 1948, por exemplo, Chico Xavier recebeu uma mensagem do espírito de Santos Dumont que dizia:

Não há voo mais divino que o da alma. Não existe mundo mais nobre a conquistar, além do que se localiza na própria consciência, quando deliberarmos converter-nos ao bem supremo. Alcemos corações e pensamentos ao Cristo.

Na oportunidade, Chico esclareceu sobre a nova encarnação do pai da aviação que aconteceria em pouco tempo. O médium afirmou que Santos Dumont reencarnaria na cidade de Campos, Rio de Janeiro, em 1956, e seria filho de Clovis Tavares e de Hilda Mussa Tavares, que receberam a mensagem diretamente das mãos de Chico.

Antes de completar um ano, o menino ficou tetraplégico, após cair do carrinho de bebê. Batizado como Carlos Vitor ele viveu somente até os 17 anos, quando veio a falecer. Sobre essa vida tão sofrida do espírito de Santos Dumont, Chico Xavier esclareceu que, na última encarnação, o pai da aviação se suicidou, em 23 de julho de 1931, após cair em depressão ao ver o uso bélico que os homens deram a sua principal invenção: o avião. Por ter abreviado a sua existência, este mesmo espírito voltou ao país para uma vida rápida e sofrida, para que pudesse se livrar do peso e da culpa de ter se matado.

Outra revelação sobre reencarnação de personalidades históricas foi feita por Chico durante um trabalho mediúnico em Pedro Leopoldo. Lá, ainda em seus primeiros anos de mediunidade, Chico passou a cuidar de um garoto chamado Emmanuel. O menino era aleijado e tinha os braços e pernas atrofiados. Sua mãe era doente e não podia cuidar do menino.

Chico trabalhava na repartição pública, participava dos trabalhos no Centro Espírita Luiz Gonzaga e cuidava do garoto. Alguns amigos do médium, que viam o garoto naquela situação, questionaram sobre a misericórdia divina e o porquê daquela situação.

Segundo explicou Chico, o garoto foi Robespierre, governante francês, conhecido pelos atos de crueldade e por governar com mão de ferro fazendo muitos inimigos.

Após sua morte, Robespierre se viu cercado pelos inimigos que tentavam se vingar a todo custo. A única opção para dar-lhe uma nova oportunidade foi a reencarnação como um aleijado. Vendo seu novo estado, pouco a pouco, os inimigos que o tormentaram foram se afastando.

Quando sonhava, o espírito se via novamente cercado pelos inimigos fazendo questão de voltar ao corpo e ficar acordado o maior tempo possível. Quando não conseguiam chegar até ele, esses espíritos, que buscavam se vingar, atacavam sua mãe obsediando-a para, desta maneira, atingi-lo.

Chico afirmou ainda que, assim que esses espíritos se penalizassem com a situação do ex-grande líder francês e desistissem do desejo de vingança, o garoto desencarnaria, e, desta maneira, poderia ficar um tempo no plano espiritual sem sofrer o assédio movido pelo ódio de tantos que buscam vingança.

Em algumas oportunidades, ele fez revelações sobre reencarnações de animais, pelos quais ele tinha verdadeira adoração. Quando Brinquinho, seu cachorro de estimação, faleceu, Chico ficou bastante triste.

Anos depois, apareceu um novo cachorro em sua rua. Ao vê-lo, Chico afirmou "olha lá o Brinquinho reencarnado". Chico soltou um sorriso e gritou "Brinquinho, venha cá" e bateu a mão no mesmo caixote em que Brinquinho dormia. O cachorro correu em sua direção e pulou dentro do caixote exatamente da mesma maneira que fazia anteriormente e, desde esse dia, voltou ao convívio de Chico.

Nem a família ficou de fora das revelações de Chico. João Candido Xavier, seu pai, faleceu em 6 de dezembro de 1960, aos 92 anos de idade, por coincidência a mesma idade que Chico desencarnou. Sua mãe, Maria João de Deus, desencarnou em 29 de setembro de 1915 e, sua segunda mãe, Cidália Batista, que o recebeu como filho após casar-se com seu pai, deixou esta vida em 19 de abril de 1931.

Já nos últimos anos de existência, Chico Xavier teve um contato com sua mãe, que lhe avisou de que eles iriam reencarnar no país no início do novo milênio. O primeiro a reencarnar seria João Candido Xavier, seguido por Maria João de Deus, e estes se comprometeram a casarem-se novamente nesta encarnação. Cidália Batista, que fora casada com José Candido Xavier e tão bem cuidou dos filhos de Maria João de Deus, incluindo Chico Xavier , desta vez, seria recebida como filha do casal.

Na esteira das revelações que trouxe, em mais de um momento, Chico Xavier advertiu que o planeta estava passando por uma transformação, e que se tornaria, como dizem os espíritas, um mundo de regeneração deixando de ser um planeta de provas e expiações.

Segundo a explicação dada pelos espíritos a Allan Kardec em *O Livro dos Espíritos*, a Terra atualmente é um planeta em que encarnam espíritos que ainda precisavam passar por provas e expiações para que possam se depurar e evoluir. Assim o bem e o mal convivem no mesmo local. Ao passar para o estágio de mundo de regeneração, somente pessoas já com ideais de bondade reencarnarão no planeta. Os demais, iriam reencarnar em mundos menos evoluídos compatíveis com seu estágio de evolução.

Chico afirmava que todos que estão no planeta atualmente têm a oportunidade derradeira de buscar praticar os ensinamentos deixados por Jesus Cristo, pois, do contrário, acabarão sendo exilados em outros mundos onde terão que padecer sofrimentos para que possam se depurar.

A última lição deixada pelo Mestre foi a de que é fundamental buscar aproveitar a oportunidade da reencarnação e viver cada dia como se fosse o último buscando praticar os ensinamentos deixados por Jesus Cristo. Chico, como seguidor destes preceitos, buscou exemplificá-los durante toda a sua existência. Analisando sua existência, Chico fez a seguinte reflexão:

> *Confesso a vocês que não vi o tempo correr. Por mais longa nos pareça, a existência na Terra é uma experiência muito curta. A única coisa que espero depois da minha desencarnação é a possibilidade de poder continuar trabalhando.*

A vida é muito curta. Chico sempre colocou que uma das coisas que mais afligem as pessoas é quando se dão conta de quantas oportunidades perderam, quantos momentos felizes deixaram de passar, por medo, preguiça ou mesmo por estarem totalmente absorvidas em seus afazeres do dia a dia.

A todos aconselhava aproveitar bem a oportunidade da vida, canalizando toda a energia na evolução e nas conquistas pessoais, não se esquecendo de auxiliar ao próximo sempre que possível e empreendendo a todo instante.

Insights para sua vida

"Não sou autor de nenhuma dessas obras."
Chico Xavier, dando crédito aos espíritos pelos livros psicografados

O nome Francisco significa "aquele que nasceu na França", o que pode sugerir também uma estranha coincidência, já que Allan Kardec é natural desse país.

Mas esse nome ganhou novas significações depois de Chico Xavier. Humildade, caridade, fé, perseverança, comprometimento e trabalho são algumas das palavras usadas para descrever qualidades do mais importante espírita nascido no Brasil.

Tendo admiradores em todas as classes sociais, formação religiosa e idade, Chico foi o exemplo vivo de que o ser humano pode dar certo, de que podemos ter esperança de um mundo melhor, mais humano, em que todos sejam verdadeiramente irmãos.

Nesse momento em que vemos a humanidade carente de bons exemplos, Chico revive por meio de sua história para continuar nos inspirando.

Impossível não pensar na imensa quantidade de pessoas que assistiram ao filme que conta a história de sua vida e com ele se emocionaram, ou nos milhões que leram seus livros e buscam neles consolo e inspiração.

Chico Xavier teve uma vida humilde no quesito riqueza material, mas rica em termos de valores morais. Sem ter cursado uma faculdade, foi mais sábio e adquiriu mais conhecimento do que o fizeram muitos doutores.

De origem pobre, nunca esteve tão necessitado que não pudesse compartilhar um sorriso, contar algo alegre ou aconselhar quem quer que fosse.

Ganhou fama, notoriedade, e mesmo assim, continuou morando na sua casinha muito simples em Uberaba, atendendo a todos os que o procuravam.

Jamais tirou proveito dos milhões que recebeu em direitos autorais. Usou tudo para auxiliar mais de duas mil instituições espalhadas pelo Brasil. Influenciou milhões de pessoas a se converterem ao espiritismo, mas nunca menosprezou qualquer outra religião, nunca disse que o espiritismo era superior às outras.

Aprendeu desde cedo a escutar os conselhos dos bons espíritos e a fugir da tentação que de toda parte chegava. Renunciou ao crédito de seus livros, dando-o todo aos espíritos que por intermédio dele escreviam.

Não veio aqui para ser santo, mas santificou sua vida, tanto que perseguidores de todos os lados não encontraram nada que pudesse comprometer o exemplo deixado por ele.

Sua morte foi simples como sua vida, mas de uma simplicidade eminentemente bela.

Poucos têm condições de chegar a ser como Chico Xavier, ele está em outro patamar de evolução, ainda distante da maioria de nós. Porém, ele pode nos inspirar, fazer que nos sintamos melhores, ajudarnos a acreditar na vida, no homem, e aumentar, assim, a nossa fé.

Toda vez que você se sentir triste, lembre-se do sorriso fácil que ele tinha, apesar de todas as dificuldades vindas por meio de doenças crônicas, falta de dinheiro e da incompreensão de muitos.

Toda vez que você se sentir sem fé, lembre-se de alguém que, em 1931, em uma cidadezinha do interior do país, teve coragem de dizer que se comunicava com espíritos e, por intermédio deles, trazia notícias do Além, produzidas, dentre outros, por espíritos como Casimiro de Abreu, Augusto dos Anjos e Castro Alves.

Toda vez que se sentir tentado a tirar proveito de alguma situação enganando o próximo, lembre-se desse guia que teve a oportunidade de apoderar-se de toda a obra dos espíritos e que poderia ter sido considerado o maior escritor de todos os tempos, já que até a Academia Brasileira de Letras se rendeu à capacidade intelectual de Chico Xavier quando analisou suas obras.

Toda vez que se sentir cansado, lembre-se desse homem que trabalhou incansavelmente até os 92 anos de idade, que dormia poucas horas por dia e que, nas demais, não perdia uma oportunidade de auxiliar e servir.

Toda vez que desanimar, lembre-se de Chico, passando por cima de todas as críticas e tendo como base a disciplina, que permitiu a ele cumprir sua missão.

Toda vez que se julgar sem função, sem missão, sem papel na sociedade, recorde-se de quantas pessoas carecem de amigos, de um sorriso, de compreensão, de consolo e aí verá o mesmo campo de trabalho no qual atuou Francisco Cândido Xavier.

Toda vez que pensar que não tem condições de ajudar o próximo e que, na verdade, é você quem precisa de auxílio, recorde-se das palavras dele dizendo que ninguém é tão desafortunado que não pode auxiliar outrem e que todo o auxílio que prestar ao próximo será revertido para você, como mostrado nestas palavras ditadas a Chico Xavier:

> *A caridade é um exercício espiritual... Quem pratica o bem, coloca em movimento as forças da alma. Quando os espíritos nos recomendam, com insistência a prática da caridade, eles estão nos orientando no sentido de nossa própria evolução; não se trata apenas de uma indicação ética, mas de profundo significado filosófico...*

100 frases de Chico para nos inspirar

Em centenas de entrevistas e, em seus mais de 430 livros, Chico Xavier trouxe ensinamentos que, se aplicados, podem guiar a todos no caminho do bem. Selecionamos a seguir as 100 principais, uma para cada ano, em homenagem ao centenário deste verdadeiro Mestre. Essas frases valem por toda a obra deixada por ele.

1

"Embora ninguém possa voltar atrás para fazer um novo começo, qualquer um pode começar agora a fazer um novo fim."

2

"Não exijas dos outros qualidades que ainda não possuem. A árvore nascente aguarda-te a bondade e a tolerância para que te possa ofertar os próprios frutos em tempo certo."

3

"Deixe algum sinal de alegria, onde passes."

4

"Ninguém quer saber o que fomos, o que possuíamos, que cargo ocupávamos no mundo; o que conta é a luz que cada um já tenha conseguido fazer brilhar em si mesmo."

5

"Sempre recebi os elogios como incentivos dos amigos para que eu venha a ser o que tenho consciência de que ainda não sou."

6

"A gente deve lutar contra o comodismo e a ociosidade; caso contrário, vamos retornar ao mundo espiritual com enorme sensação de vazio. Dizem que eu tenho feito muito, mas, para mim, não fiz um décimo do que deveria ter feito."

7

"A questão mais aflitiva para o espírito no além é a consciência do tempo perdido."

8

"A felicidade real começa em fazer a felicidade dos outros."

9

"A vida é sempre o resultado de nossa própria escolha."

10

"Em matéria de felicidade convém não esquecer que nos transformamos sempre naquilo que amamos."

11

"Quem se aceita como é, doando de si à vida o melhor que tem, caminha mais facilmente para ser feliz como espera ser."

12

"Se Allan Kardec tivesse escrito que 'fora do Espiritismo não há salvação', eu teria ido por outro caminho. Graças a Deus ele escreveu 'Fora da Caridade', ou seja, fora do Amor não há salvação."

13

"Onde existe amor não há lugar para ressentimentos."

14

"A maior revelação de teu amor aparece brilhando quando permites que o Cristo em ti e contigo possa amar e servir aos outros sem procurar saber quem são e como são."

15

"A melhor maneira de aprender a desculpar os erros alheios é reconhecer que também somos humanos, capazes de errar talvez ainda mais desastradamente que os outros."

16

"Cada dia que amanhece assemelha-se a uma página em branco, na qual gravamos os nossos pensamentos, ações e atitudes. Na essência, cada dia é a preparação de nosso próprio amanhã."

17

"Cada boa ação que você pratica, é uma luz que você acende, em torno dos próprios passos."

18

"Cada minuto é uma semente de amor que podes cultivar ou uma abençoada luz que podes acender para o grande futuro."

19

"Confiemos na Providência Divina e aceitemos no serviço do bem a nossa mais bela e melhor oportunidade a que denominamos: agora."

20

"Depressão? Alma querida, se tens apenas tristeza, se te sentes indefesa, contra mágoa e dissabor, sai de ti mesma e auxilia aos que mais sofrem na estrada. A depressão é curada pelo trabalho de amor."

21

"Nunca somos tão pobres de bens materiais e espirituais que não possamos doar alguma coisa ao companheiro necessitado, seja o pão ou a palavra de consolo e solidariedade."

22

"O amor verdadeiro auxilia sem perguntar."

23

"Se quiser realmente ver o teu maior inimigo, pare por alguns instantes à frente de um espelho."

24

"Sempre que chamados à crítica, respeitemos o esforço nobre dos semelhantes. Para construir, são necessários amor e trabalho, estudo e competência, compreensão e serenidade, disciplina e devotamento. Para destruir, porém, basta, às vezes, uma só palavra."

25

"Sem a ideia da reencarnação, sinceramente, com todo respeito às demais religiões, eu não vejo uma explicação sensata, inclusive, para a existência de Deus."

26

"Berço e túmulo são simples marcos de uma condição para a outra. Somos responsáveis por nossa tragédia e por nossa glória."

27

"Hoje auxiliamos, amanhã seremos os necessitados de auxílio."

28

"A desilusão de agora será benção depois."

29

"Nenhuma atividade no bem é insignificante. As mais altas árvores são oriundas de minúsculas sementes."

30

"Muitos ficam na expectativa do socorro do Alto, mas não querem nada com o esforço de renovação; querem que os espíritos se intrometam na sua vida e resolvam seus problemas."

31

"Devemos orar pelos políticos, pelos administradores da vida pública. A tentação do poder é muito grande. Eu não gostaria de estar no lugar de nenhum deles."

32

"Sem Deus no coração, as futuras gerações colocarão em risco a Vida no planeta. Por maior que seja o avanço tecnológico da Humanidade, impossível que o homem viva em paz sem que a ideia de Deus o inspire em suas decisões."

33

"Pela força do exemplo vencerás."

34

"Na realidade, toda doença no corpo é processo de cura para a alma."

35

"Uma das mais belas lições que tenho aprendido com o sofrimento: não julgar, definitivamente não julgar a quem quer que seja."

36

"O exemplo é uma força que repercute de maneira imediata, longe ou perto de nós. Não podemos nos responsabilizar pelo que os outros fazem de suas vidas; cada qual é livre para fazer o que quer de si mesmo, mas não podemos negar que nossas atitudes inspiram atitudes, seja no bem quanto no mal."

37

"Fico triste quando alguém me ofende, mas, com certeza, eu ficaria mais triste se fosse eu o ofensor. Magoar alguém é terrível!"

38

"Perante Deus toda pessoa é importante."

39

"O bem que praticares em qualquer lugar é seu advogado em toda a parte."

40

"A criança desprotegida que encontramos na rua não é motivo para revolta ou exasperação, e sim um apelo para que trabalhemos com mais amor pela edificação de um mundo melhor."

41

"Às vezes, naquele minuto de oração deixamos de tomar uma atitude precipitada, de proferir uma palavra agressiva, de permitir que a cólera nos induza a qualquer atitude infeliz..."

42

"A alegria do próximo começa muitas vezes no sorriso que você lhe queira dar."

43

"A crítica dos outros só poderá trazer-lhe prejuízo se você consentir."

44

"A dor é uma luz acesa no apoio da evolução."

45

"A hora que passa é preciosa demais para que lhe percamos a grandeza."

46

"A humildade é a chave de nossa libertação."

47

"O Cristo não pediu muita coisa, não exigiu que as pessoas escalassem o Everest ou fizessem grandes sacrifícios. Ele só pediu que amássemos uns aos outros."

48

"A marcha será medida pelo passo do serviço ao próximo."

49

"Toda a vida futura, no entanto, depende inevitavelmente da vida presente, como toda a colheita próxima se deriva da sementeira atual."

50

"A melhora de tudo para todos começa na melhora de cada um."

51

"A pedra colocada em disciplina é o agente que
te assegura firmeza na construção."

52

"A serenidade e o apreço para com os inimigos são
os melhores antídotos para que as preocupações com
eles não nos destruam."

53

"A tarefa parece fracassar? Siga adiante, trabalhando, que, muitas vezes é necessário sofrer, a fim de que Deus nos atenda à renovação."

54

"A Terra é uma embarcação cósmica de vastas proporções e não podemos olvidar que o Senhor permanece vigilante no leme."

55

"Toda migalha de amor está registrada na Lei,
em favor de quem a emite."

56

"A vitória na luta pelo bem contra o mal caberá sempre ao servidor que souber perseverar com a Lei Divina até o fim."

57

" Aceita-te como és e aceita a vida em que deves estar, na condição em que te vês, a fim de que faças em ti o burilamento possível."

58

"Acentuemos, na própria vida, a disposição de aprender e auxiliar."

59

"Ajude conversando. Uma boa palavra auxilia sempre."

60

"Alma corajosa não é aquela que se dispõe a revidar o golpe recebido e sim aquela que sabe desculpar e esquecer."

61

"Amigo, continua servindo e não temas. Onde viste o lavrador que deitasse as sementes na terra e as visse germinar, no mesmo instante? O serviço que te confiei é aquele mesmo que o Pai me deu a fazer... Nenhum gesto de bondade e nenhuma palavra de amor se perdem na construção do Reino do Bem-Eterno."

62

“Ampara aos que se acham perseguidos
pela ignorância ou pela crueldade.”

63

“Ante as crises da vida. Não te revoltes. Serve.”

64

“Façamos da caridade o pão espiritual da vida.”

65

“As almas afins se engrandecem constantemente
repartindo as suas alegrias e os seus dons com
a Humanidade inteira, não existindo limitações
para o amor, embora seja ele também
a luz divina a expressar-se em graus diferentes
nas variadas esferas da vida.”

66

“As mães e os pais terrestres foram convocados a negócios de
renúncia, exemplificação e devotamento.”

67

“Auxilia aos outros, tanto quanto puderes.
Cada pessoa que hoje te encontra

talvez seja amanhã a chave de que
necessitas para a solução de numerosos problemas."

68

"Você nem sempre terás o que desejas, mas enquanto estiveres
ajudando os outros encontrarás os recursos que precisa."

69

"Cada criatura constrói na própria mente e no próprio coração o
paraíso que a erguerá ao nível sublime da perfeita alegria, ou o
inferno que a rebaixará aos mais escuros antros de sofrimento."

70

"Centraliza-te no esforço de auxiliar no bem comum,
seguindo com a tua cruz, ao encontro da ressurreição divina.
Nas surpresas constrangedoras da marcha, recorda
que antes de tudo importa orar sempre, trabalhando,
servindo, aprendendo, amando e nunca desfalecer."

71

"Colocar-te ás na posição dos que sofrem, a fim
de que faças por eles tudo aquilo que te desejarias
se te fizesse nas mesmas circunstâncias."

72

"Comecemos nosso esforço de soerguimento

espiritual desde hoje e, amanhã, teremos avançado
consideravelmente no grande caminho!"

73

"Compreendamos que unicamente
cooperando na paz dos outros é que o
concurso da paz virá ao nosso encontro."

74

"Compreender constantemente. Trabalhar sempre.
Descansar, quando se mostre necessária
a pausa de refazimento. Parar nunca."

75

"Confia em Deus, mas não te esqueças de que Deus confia em ti."

76

"Corrijamos a nós mesmos, antes que o mundo nos corrija."

77

"De tudo o que semeares, efetivamente colherás."

78

"Dentro da visão espírita-cristã, céu, inferno

e purgatório começam dentro de nós mesmos. A alegria do bem praticado é o alicerce do céu. A má intenção já é um piso para o purgatório e o mal devidamente efetuado, positivado, já é o remorso que é o princípio do inferno."

79

"Deus colocou a esperança em cada realização da natureza, por que haveremos nós de desesperar?"

80

"Dificuldades que te surpreendam são os testes aconselháveis em que te cabe encontrar aproveitamento."

81

"Enquanto houver um gemido na paisagem em que nos movimentamos, não será lícito cogitar da felicidade isolada para nós mesmos."

82

"Esquece injúrias e ofensas. Não lastimes o passado. Não censures a ninguém. Segue sempre para diante e não temas. Deus vigia."

83

"Estenda a mão ao que necessita de apoio.

Chegará seu dia de receber cooperação."

84

"Examina o sentido, o modo e a direção de tuas palavras, antes de pronunciá-las."

85

"Nada se realiza de útil e grande sem a coragem."

86

"Não critiques. A lâmina de nossa reprovação volta-se, invariavelmente, contra nós, expondo-nos as próprias deficiências."

87

"Não desesperes. O raio de nossa inconformação aniquilará a sementeira de nossos melhores sonhos."

88

"Não exija perfeição nos outros e nem mesmo em você, mas procure melhorar-se quanto possível."

89

"Não firas. O golpe da nossa crueldade brandido na direção dos outros, retornará a nós mesmos,

inevitavelmente, fazendo chagas de dor
e aflição no corpo de nossa vida."

90

"Não nos esqueçamos de que o filho descuidado,
ocioso ou perverso é o pai inconsciente de amanhã
e o homem inferior que não fruirá
a felicidade doméstica."

91

"Não se esqueças de que casar é tarefa para
todos os dias, porquanto somente da
comunhão espiritual gradativa e profunda
é que surgirá a integração dos cônjuges."

92

"Não te encolerizes. O punhal de nossa
ira alcança-nos a própria saúde,
impondo-nos o vírus da enfermidade."

93

"Ninguém recolhe o bem sem conquistá-lo e
ninguém recebe o mal sem atraí-lo."

94

"Cada hora na vida é recurso potencial para a criação de novos destinos."

95

"Na vida, não vale o que temos nem tanto importa o que somos. Vale o que realizamos com aquilo que possuímos e, acima de tudo, importa o que fazemos de nós."

96

"O seu pior momento na vida é sempre o instante de melhorar."

97

"Recorda: felicidade é uma construção a fazer. O alicerce está em ti mesmo."

98

"Ouve os que te busquem a presença ou a palavra, com bondade e simpatia."

99

"Podes contar com Deus na solução de todos os teus problemas, entretanto, não te esqueças de que Deus conta contigo em todos os teus caminhos."

100

"Quem perdeu a própria fé nada mais tem a perder."

Chico Xavier em imagens

Mural com fotos do médium.

Imagem de Chico ainda jovem.

Quadro retratando o mentor espiritual de Chico.

Fotos e as máquinas de escrever do médium, exímio datilógrafo.

Quarto em que Chico Xavier dormia.

Cadeira de rodas usada para se locomover nos últimos anos de vida.

Cozinha onde o médium fazia suas refeições.

Quadro retratando Chico e Nossa Senhora.

Frente do museu Chico Xavie

Placa na entrada da residência de Chico, transformada em museu.

MUSEU
"CHICO XAVIER"
PARTICULAR
HORÁRIO DE FUNCIONAMENTO
LIVRARIA E MUSEU
SEGUNDA A SEXTA
08:00 ÁS 11:00HS
13:00 ÁS 17:30HS
SÁBADOS
08:00 ÁS 12:00HS
ENTRADA PELA LIVRARIA

Túmulo do médium no cemitério de Uberaba.

NOSSO
LAR
EMMANUEL

Frente do mausoléu em homenagem a Chico Xavier.

Reunião junto ao “abacateiro”.

Distribuição de alimentos aos carentes no "abacateiro".

eunião no Centro Espírita de Celso de Almeida Afonso.

Reunião no Grupo Espírita da Prece. Ao centro, Eurípedes Higino, filho adotivo de Chico.

Jardim no Grupo Espírita da Prece.

Reunião no centro Espírita
de Carlos Baccelli.

Cronologia de Chico Xavier

1910 – Nasce em 2 de abril na cidade mineira de Pedro Leopoldo, tendo como nome de batismo Francisco de Paula Cândido. É filho de João Cândido Xavier e de Maria João de Deus

1915 – Passa a morar com a sua madrinha, Maria Rita de Cássia, após a morte de sua mãe, Maria João de Deus.

1917 – Consegue livrar-se dos maus-tratos de sua madrinha, passando a morar com Cidália Batista, nova mulher de seu pai, que reúne todos os filhos do primeiro casamento de João Cândido.

1919 – Passa a trabalhar em uma fábrica de tecidos.

1923 – Conclui o curso primário.

1925 – Começa a trabalhar no armazém de José Felizardo Sobrinho, em Pedro Leopoldo.

1927 – Tem o primeiro contato com o espiritismo, quando sua irmã fica doente e é levada para ser curada em uma casa espírita. Começa a participar ativamente do Centro Espírita Luiz Gonzaga, fundado por seu irmão José Xavier. Faz sua primeira psicografia.

1931 – Conversa pela primeira vez com seu mentor espiritual, Emmanuel. Escreve seu primeiro livro mediúnico, intitulado *Parnaso de além-túmulo*, uma coletânea de poemas assinados por grandes poetas brasileiros já falecidos: Castro Alves, Casimiro de Abreu e Augusto dos Anjos, entre outros.

1939 – Psicografa livros do escritor Humberto de Campos, morto em 1934, e lança o livro *Crônicas de além-túmulo*, com textos do escritor falecido.

1944 – É processado pela família de Humberto de Campos, que exige parte dos direitos autorais dos livros psicografados. A justiça decide em favor de Chico. Para evitar mais polêmica, Humberto de Campos passa a assinar com o pseudônimo de Irmão X. Publica o livro *Nosso lar*, psicografado pelo espírito André Luiz e que vende mais de 1,3 milhão de cópias.

1946 – Passa por problemas de saúde, vitimado pela tuberculose.

1960 – Publica o livro *Mecanismos da mediunidade*, em parceria com o médium Waldo Vieira.

1963 – Aposenta-se após trinta anos de trabalho como auxiliar de serviço e passa a intensificar o seu trabalho de assistência social junto da comunidade espírita de Uberaba.

1965 – Viaja para os Estados Unidos, visando a difundir o espiritismo.

1972 – Dá uma entrevista a um programa na TV Tupi que dá picos de audiência, atingindo mais de 20 milhões de telespectadores.

1980 – É indicado para concorrer ao Prêmio Nobel da Paz de 1981.

1985 – Em julgamento histórico, João Francisco de Deus é inocentado da acusação de matar sua mulher. Sua defesa usa psicografias feitas por Chico Xavier e ditadas pelo espírito Cleide, mulher de João, que nas mensagens inocenta o marido da culpa.

1995 – Após um enfisema pulmonar, fica bastante debilitado e preso a uma cadeira de rodas.

1999 – Publica seu último livro em vida, intitulado *Escada de luz*.

2002 – Falece no dia 30 de junho, quando o país comemorava a conquista do pentacampeonato mundial de futebol.

2010 – É lançado um filme sobre sua vida, comemorando o centenário de seu nascimento que é visto por milhões de pessoas.

Referências

Livros

ARANTES, H. M. C. (Org.). *Notáveis reportagens com Chico Xavier.* Rio de Janeiro: Instituto de Difusão Espírita, 2002.

BACCELLI, C. A. *Chico Xavier*: mediunidade e coração. São Paulo: Ideal, 1985.

__________. *Chico Xavier, a sombra do abacateiro.* São Paulo: Ideal, 1986.

__________. *Chico Xavier, mediunidade e luz.* São Paulo: Ideal, 1989.

__________. *Chico Xavier:* a reencarnação de Allan Kardec. São Paulo: LEEPP, 2003.

_________. *O espiritismo em Uberaba*. Uberaba: Secretária de Educação e Cultura, 1987.

_________. *Chico e Emmanuel*. 4. ed. Uberaba: Didier, 2000.

_________. *Chico Xavier o amigo dos animais*. Uberaba: LEEP, 2008.

_________. *O Evangelho de Chico Xavier*. 5ª ed. Uberaba: Didier, 2002.

_________; FERNADES, O. *Mediunidade e apostolado*. Uberaba: Didier, 2003.

_________; PEREIRA, I. *Fundação Emmanuel*. Uberaba: LEEP, 2006.

_________; XAVIER, F. C. *Chico Xavier responde*. Uberaba: LEEP, 2007.

GALVEZ, N. *Até sempre Chico Xavier*. São Paulo: Centro Espírita União, 2008.

GAMA, R. *Lindos casos de Chico Xavier*. São Paulo: Lake, 2002.

JACINTHO, R. *40 anos no mundo da mediunidade*. São Paulo: Departamento Editorial Luz no Lar, 1991.

_________. *O Evangelho Segundo o Espiritismo*. 296. ed. Araras: IDE, 2004.

_________. *O livro dos espíritos*. 149. ed. Araras: IDE, 2004.

_________. *O que é Espiritismo*. 57. ed. Araras: IDE, edição, 2004.

NAPOLEÃO, L. da C. e S. *Chico Xavier, o mineiro do século*. Minas Gerais: Lachatre, 2001.

__________. da C. e S. *Nosso amigo Xavier*. Minas Gerais: Napoleão, 1987.

RANIERI, R. A. *Chico Xavier: o santo dos nossos dias*. Rio de Janeiro: Eco, 1988.

__________. *Materializações luminosas*. São Paulo: FEESP, 1989.

SCHUBERT, S. C. *Testemunhos de Chico Xavier*. Brasília: FEB, 1986.

SILVEIRA, A. *Chico, de Francisco*. São Paulo: Cultura Espírita União, 1987.

SOUTO MAIOR, M. *As vidas de Chico Xavier*. São Paulo: Planeta do Brasil, 2003.

__________. *Por trás do véu de Ísis*: uma investigação sobre a comunicação entre vivos e mortos. São Paulo: Planeta do Brasil, 2004.

SOUZA, C. C. de. *Encontros com Chico Xavier*. Uberaba: Centro Espírita Aurélio Agostinho, 2001.

TAVARES, C. *Trinta anos com Chico Xavier*. 4. ed. Araras: IDEAL, 1987.

TIMPONI, M. *A psicografia ante os tribunais*. Rio de Janeiro: FEB, 1959.

XAVIER, F. C. *Mãos Unidas*. 20. ed. São Paulo: IDE, 1996.

__________. *Missionários da Luz*. 23. ed. Rio de Janeiro: FEB, 1991.

__________. *Nosso Lar.* 55. ed. Rio de Janeiro: FEB, 2005.

__________. *Parnaso de além-túmulo* (Poesias Mediúnicas). Rio de Janeiro: FEB, 1978.

__________. *Sinal Verde.* Minas Gerais: Comunhão Espírita Cristã, 1971.

__________; BUENO, I. (Espíritos diversos). *Uma vida de amor e caridade.* 2. ed. Minas Gerais: Espírita Cristã Fonte Viva, 1998.

__________; PIRES, J. H. (Irmão Saulo). *Chico Xavier pede licença.* São Bernardo do Campo: Grupo Espírita Emmanuel, 1980.

DVD

Pinga-fogo: entrevistas, Versátil Home Vídeo, 2006.

Chico Xavier inédito: de Pedro Leopoldo a Uberaba, Versátil Home Vídeo, 2007.

Na Internet

www.chicoxavieruberaba.com.br
www.cvdee.org.br
www.espirito.org.br
www.feal.com.br
www.febnet.org.br
www.ibge.gov.br
www.uembh.org.br
www.universoespirita.org.br
www.baccelli.com.br
www.feec.org.br
www.mensageiros.org.br
www.larchicoxavier.com.br

Apêndice

Endereços importantes

Residência, hoje transformada em Museu
Rua Dom Pedro I, nº 165
Bairro: Parque das Américas
Uberaba – MG
Funcionamento: De segunda a sexta das 8h00 às 11h00 e das 13h00 às 17h30; aos sábados das 8h00 às 12h00.

Grupo Espírita da Prece de Chico Xavier
Avenida João XXIII, nº 1495
Bairro: Parque das Américas
Funcionamento: todos os sábados a partir das 18h00.

Grupo Assistencial de Chico Xavier
Avenida João XXIII, nº 2246
Bairro: Parque das Américas

Funcionamento: todas as quintas-feiras, jantar para pessoas carentes a partir das 19h00, e todos os sábados, distribuição de alimentos a famílias, a partir das 14h00.

Cemitério São João Batista
Avenida da Saudade, s/nº, Uberaba
O mausoléu de Chico Xavier se encontra na quadra O.

Livraria F.C.X Ltda. – Livros e lembranças de Chico Xavier
Rua Dom Pedro I, nº 165
Bairro: Parque das Américas
Cep: 38.045-050
Uberaba – MG
Tel: (34) 3336-5967

Bibliografia de Chico Xavier

A seguir, todas as obras escritas por Chico Xavier, em ordem cronológica, por ano de publicação:

Ano	Título	Autor espiritual
1932	*Parnaso de além-túmulo*	Espíritos diversos
1935	*Cartas de uma morta*	Maria João de Deus
1936	*Palavras do infinito*	Espíritos diversos
1937	*Crônicas de além-túmulo*	Humberto de Campos
1938	*Emmanuel*	Emmanuel
	Brasil, coração do mundo, pátria do Evangelho	Humberto de Campos
1939	*Lira imortal*	Espíritos diversos
	A caminho da luz	Emmanuel
1940	*Novas mensagens*	Humberto de Campos
	Há 2 000 anos	Emmanuel
	50 anos depois	Emmanuel
1941	*Cartas do Evangelho*	Casimiro Cunha
	O consolador	Emmanuel

	Boa nova	Humberto de Campos
1942	*Paulo e Estevão*	Emmanuel
1943	*Renúncia*	Emmanuel
	Reportagens de além-túmulo	Humberto de Campos
1944	*Cartilha da natureza*	Casimiro Cunha
	Nosso lar	André Luiz
	Os mensageiros	André Luiz
1945	*Missionários da luz*	André Luiz
	Coletânea do além	Espíritos diversos
	Lázaro redivivo	Irmão X
1946	*Obreiros da vida eterna*	André Luiz
1947	*O caminho oculto*	Veneranda
	Os filhos do grande rei	Veneranda
	Mensagem do pequeno morto	Neio Lúcio
	História de Maricota	Casimiro Cunha
	Jardim da infância	João de Deus
	Volta Bocage	Manuel M.B. Bocage
	No mundo maior	André Luiz
1948	*Agenda cristã*	André Luiz
	Luz acima	Irmão X
1949	*Voltei*	Irmão Jacob
	Alvorada cristã	Neio Lúcio
	Caminho, verdade e vida	Emmanuel
	Libertação	André Luiz
1950	*Jesus no lar*	Neio Lúcio
	Pão nosso	Emmanuel
	Nosso livro	Espíritos diversos
1951	*Pontos e contos*	Irmão X
	Falando à Terra	Espíritos diversos
	Páginas do coração	Irmã Candoca
1952	*Vinha de luz*	Emmanuel
	Pérolas do além	Espíritos diversos
	Roteiro	Emmanuel
	Pai nosso	Meimei
	Cartas do coração	Espíritos diversos
1953	*Gotas de luz*	Casimiro Cunha
	Ave, Cristo!	Emmanuel
1954	*Entre a terra e o céu*	André Luiz

	Palavras de Emmanuel	Emmanuel
1955	*Nos domínios da mediunidade*	André Luiz
1956	*Instruções psicofônicas*	Espíritos diversos
	Fonte viva	Emmanuel
1957	*Ação e reação*	André Luiz
	Vozes do grande além	Espíritos diversos
1958	*Contos a apólogos*	Irmão X
	Pensamento e vida	Emmanuel
1959	*Evolução em dois mundos*	André Luiz
1960	*Mecanismos da mediunidade*	André Luiz
	Evangelho em casa	Meimei
	Religião dos espíritos	Emmanuel
	A vida escreve	Hilário Silva
1961	*Almas em desfile*	Hilário Silva
	Seara dos médiuns	Emmanuel
	Juca lambisca	Casimiro Cunha
1962	*O espírito da verdade*	Espíritos diversos
	Justiça divina	Emmanuel
	Cartilha do bem	Meimei
	Relicário de luz	Espíritos diversos
	Timbolão	Casimiro Cunha
1963	*Antologia dos imortais*	Espíritos diversos
	Ideal espírita	Espíritos diversos
	Leis de amor	Emmanuel
	Opinião espírita	Emmanuel / André Luiz
	Sexo e destino	André Luiz
1964	*Desobsessão*	André Luiz
	Contos desta e doutra vida	Irmão X
	Livros da esperança	Emmanuel
	Dicionário da alma	Espíritos diversos
1965	*Trovadores do além*	Espíritos diversos
	Palavras de vida eterna	Emmanuel
	Estude e viva	Emmanuel / André Luiz
	O espírito de Cornélio Pires	Cornélio Pires
1966	*Entre irmãos de outras terras*	Espíritos diversos
	Cartas e crônicas	Irmão X
	Antologia mediúnica do Natal	Espíritos diversos
1967	*Caminho espírita*	Espíritos diversos

	Encontro marcado	Emmanuel
	No portal da luz	Emmanuel
1968	*Trovas do outro mundo*	Espíritos diversos
	E a vida continua	André Luiz
	Luz no lar	Espíritos diversos
1969	*Luz da oração*	Espíritos diversos
	Orvalho de luz	Espíritos diversos
	Passos da vida	Espíritos diversos
	Estante da vida	Irmão X
	Alma e coração	Emmanuel
	Poetas redivivos	Espíritos diversos
1970	*Idéias e ilustrações*	Espíritos diversos
	Paz e renovação	Espíritos diversos
	Vida e sexo	Emmanuel
	Mais luz	Batuíra
	Correio fraterno	Espíritos diversos
1971	*Trovas do mais além*	Espíritos diversos
	Benção de paz	Emmanuel
	Mãe	Espíritos diversos
	Antologia da espiritualidade	Maria Dolores
	Rumo certo	Emmanuel
	Pinga-fogo – primeira entrevista	Espíritos diversos
	Coragem	Espíritos diversos
	Sinal verde	André Luiz
1972	*Entrevistas*	Emmanuel
	Chico Xavier – dos hippies aos problemas do mundo	Espíritos diversos
	Através do tempo	Espíritos diversos
	Mãos unidas	Emmanuel
	Taça de luz	Espíritos diversos
	Chico Xavier pede licença	Espíritos diversos
	Mãos marcadas	Espíritos diversos
	Natal de sabina	Francisca Clotilde
1973	*Escrínio de luz*	Emmanuel
	Segue-me	Emmanuel
	Encontro de paz	Espíritos diversos
	Na era do espírito	Espíritos diversos
	Rosas com amor	Espíritos diversos
	Bezerra, Chico e você	Bezerra de Menezes

	A vida fala I	Neio Lúcio
	A vida fala II	Neio Lúcio
	A vida fala III	Neio Lúcio
1974	*Astronautas do além*	Espíritos diversos
	Entre duas vidas	Espíritos diversos
	Retratos da vida	Cornélio Pires
	Diálogo dos vivos	Espíritos diversos
	Calendário espírita	Espíritos diversos
	Instrumentos do tempo	Emmanuel
1975	*Respostas da vida*	André Luiz
	Jovens no além	Espíritos diversos
	Conversa firme	Cornélio Pires
	A terra e o semeador	Emmanuel
	Chão de flores	Espíritos diversos
	Caminhos de volta	Espíritos diversos
1976	*O esperanto como revelação*	Francisco V. Lorenz
	Busca e acharás	Emmanuel / André Luiz
	Amanhece	Espíritos diversos
	Recanto de paz	Espíritos diversos
	Deus sempre	Emmanuel
	Somos seis	Espíritos diversos
	Tintino... o espetáculo continua	Francisca Clotilde
	Auta de Souza	Auta de Souza
1977	*Crianças no além*	Marcos
	Baú de casos	Cornélio Pires
	Amizade	Meimei
	Companheiro	Emmanuel
	Maria Dolores	Maria Dolores
	Momentos de ouro	Espíritos diversos
	Amor e luz	Emmanuel / Espíritos diversos
	Coisas deste mundo	Cornélio Pires
	Chico Xavier em Goiânia	Emmanuel
	Luz bendita	Emmanuel / Espíritos diversos
1978	*Amor sem adeus*	Walter Peronne
	Recados do além	Emmanuel
	Enxugando lágrimas	Espíritos diversos
	Coração e vida	Maria Dolores
	Caridade	Espíritos diversos

	Na hora do testemunho	Espíritos diversos
	Assim vencerás	Emmanuel
	Falou e disse	Augusto Cezar Netto
	Somente amor	Maria Dolores / Meimei
1979	*Inspiração*	Emmanuel
	Tempo de luz	Espíritos diversos
	Encontros no tempo	Espíritos diversos
	Marcas do caminho	Espíritos diversos
	Janela para a vida	Espíritos diversos
	Amigo	Emmanuel
	Calma	Emmanuel
	Claramente vivos	Espíritos diversos
	Antologia das crianças	Espíritos diversos
	Ceifa de luz	Emmanuel
1980	*Sinais de rumo*	Espíritos diversos
	Vida em vida	Espíritos diversos
	Gaveta de esperança	Laurinho
	Algo mais	Emmanuel
	Livro de respostas	Emmanuel
	Urgência	Emmanuel
	Irmã Vera Cruz	Vera Cruz
	A vida conta	Maria Dolores
	Momentos de paz	Emmanuel
	Pronto-socorro	Emmanuel
	Deus aguarda	Meimei
	Irmão	Emmanuel
	Notícias do além	Espíritos diversos
	Vida no além	Espíritos diversos
1981	*Feliz regresso*	Espíritos diversos
	Caminhos	Emmanuel
	Aulas da vida	Espíritos diversos
	Augusto vive	Augusto Cezar Netto
	Viajores da luz	Espíritos diversos
	Eles voltaram	Espíritos diversos
	Rumos da vida	Espíritos diversos
	Família	Espíritos diversos
	Intervalos	Emmanuel
	Linha 200	Emmanuel

	Atenção	Emmanuel
	Paz e alegria	Espíritos diversos
	Vivendo sempre	Espíritos diversos
1982	*Seara da fé*	Espíritos diversos
	Nascer e renascer	Emmanuel
	Quem são	Espíritos diversos
	Mais vida	Espíritos diversos
	Reencontros	Espíritos diversos
	Filhos voltando	Espíritos diversos
	Sentinelas da alma	Meimei
	Palavras do coração	Meimei
	Adeus solidão	Espíritos diversos
	Praça da amizade	Espíritos diversos
	Gabriel	Gabriel
	Entes queridos	Espíritos diversos
	Lealdade	Maurício G. Henrique
	Seguindo juntos	Espíritos diversos
	Endereços da paz	André Luiz
1983	*Material de construção*	Emmanuel
	Presença de Laurinho	Laurinho
	Estamos no além	Espíritos diversos
	Venceram	Espíritos diversos
	Ninguém morre	Espíritos diversos
	Paciência	Emmanuel
	Diário de bênçãos	Cristiane
	A ponte	Emmanuel
	Antenas de luz	Laurinho
	Recados da vida	Espíritos diversos
	E o amor continua	Espíritos diversos
	Mensagens que confortam	Ricardo Tadeu
	Mais perto	Emmanuel
	Cidade no além	André Luiz / Lucios
	Caminhos do amor	Maria Dolores
	Correio do além	Espíritos diversos
	Os dois maiores amores	Espíritos diversos
	Vida nossa vida	Espíritos diversos
	Paz	Emmanuel
1984	*Entender conversando*	Emmanuel

	Tempo e amor	Espíritos diversos
	Quando se pretende falar da vida	Roberto Muszkat
	Humorismo no além	Espíritos diversos
	Tocando o barco	Emmanuel
	Convivência	Emmanuel
	Sorrir e pensar	Espíritos diversos
	Confia e segue	Emmanuel
	Momentos de encontro	Rosângela
	Alma e vida	Maria Dolores
	Retornaram contando	Espíritos diversos
	Presença de luz	Augusto Cezar Netto
	Agora é o tempo	Emmanuel
	Horas de luz	Espíritos diversos
	Hoje	Emmanuel
	Fé	Espíritos diversos
	Bastão de arrimo	William
	Novamente em casa	Espíritos diversos
	Flores de outono	Jésus Gonçalves
1985	*Viajor*	Emmanuel
	Loja de alegria	Jair Presente
	Esperança e vida	Espíritos diversos
	Espera servindo	Emmanuel
	Neste instante	Emmanuel
	Educandário de luz	Espíritos diversos
	Tão fácil	Espíritos diversos
	Amor e saudade	Espíritos diversos
	Caravana de amor	Espíritos diversos
	Jóia	Emmanuel
	Bazar da vida	Jair Presente
	Monte acima	Emmanuel
	Viajaram mais cedo	Espíritos diversos
	Juntos venceremos	Espíritos diversos
	Nós	Emmanuel
1986	*Festa de paz*	Espíritos diversos
	Dinheiro	Emmanuel
	Mediunidade e sintonia	Emmanuel
	Luz e vida	Emmanuel
	Agência de notícias	Jair Presente

	Crer e agir	Emmanuel / Irmão José
	Abrigo	Emmanuel
	O essencial	Emmanuel
	Apelos cristãos	Bezerra de Menezes
	Reconforto	Emmanuel
	Ponto de encontro	Jair Presente
	Apostilas da vida	André Luiz
	Canais da vida	Emmanuel
1987	*Jesus em nós*	Emmanuel
	Estrelas no chão	Espíritos diversos
	Vozes da outra margem	Espíritos diversos
	Estradas e destino	Espíritos diversos
	Visão nova	Espíritos diversos
	Resgate e amor	Tiaminho
	Vitória	Espíritos diversos
	Sementes de luz	Espíritos diversos
	Intercâmbio do bem	Espíritos diversos
	Tende bom ânimo	Espíritos diversos
	Doutrina e vida	Espíritos diversos
	Esperança e alegria	Espíritos diversos
	Fonte de paz	Espíritos diversos
	Trevo de idéias	Emmanuel
	Hora certa	Emmanuel
	Ação e caminho	Emmanuel / André Luiz
	Palavras de coragem	Espíritos diversos
	Temas da vida	Espíritos diversos
	Brilhe vossa luz	Espíritos diversos
	Escultores de almas	Espíritos diversos
1988	*Plantão da paz*	Emmanuel
	Vida além da vida	Lineu de Paula Leão Jr
	Lar – oficina, esperança e trabalho	Espíritos diversos
	Cura	Espíritos diversos
	Palco iluminado	Jair Presente
	Comandos do amor	Espíritos diversos
	Roseiral de luz	Espíritos diversos
	Relatos da vida	Irmão X
	Alvorada do reino	Emmanuel
	Páginas de fé	Espíritos diversos

	Gratidão e paz	Espíritos diversos
	Assembléia de luz	Espíritos diversos
	Corações renovados	Espíritos diversos
	Construção do amor	Emmanuel
	Irmãos unidos	Espíritos diversos
	Escola no além	Cláudia P. Galasse
1989	*Indulgência*	Emmanuel
	Fotos da vida	Augusto Cezar Netto
	Confia e serve	Espíritos diversos
	Aceitação e vida	Margarida Soares
	Doutrina e aplicação	Espíritos diversos
	Servidores no além	Espíritos diversos
	Refúgio	Emmanuel
	Histórias e anotações	Irmão X
	Fé, paz e amor	Emmanuel
	Semeador em tempos novos	Emmanuel
	Rapidinho	Jair Presente
1990	*Porto de alegria*	Espíritos diversos
	Sentinelas da luz	Espíritos diversos
	Perante Jesus	Emmanuel
	Pétalas da primavera	Espíritos diversos
	Doutrina de luz	Emmanuel
	A semente de mostarda	Emmanuel
	Trilha de luz	Emmanuel
	Alma e luz	Emmanuel
	Excursão de paz	Espíritos diversos
	Harmonização	Emmanuel
	Vereda de luz	Espíritos diversos
	Moradias de luz	Espíritos diversos
	Ante o futuro	Espíritos diversos
	Continuidade	Espíritos diversos
	Dádivas de amor	Maria Dolores
	A verdade responde	Emmanuel / André Luiz
1991	*Fulgor no entardecer*	Espíritos diversos
	Queda e ascensão da casa dos benefícios	Bezerra de Menezes
	Ação, vida e luz	Espíritos diversos
	Assuntos da vida e da morte	Espíritos diversos
	Carmelo Grisi, ele mesmo	Carmelo Grisi

1992	*Novo mundo*	Emmanuel
	Doações de amor	Espíritos diversos
	Pérolas de luz	Emmanuel
	Levantar e seguir	Emmanuel
	Luz no caminho	Emmanuel
	Chico Xavier, uma vida de amor	Emmanuel
	Uma vida de amor e caridade	Espíritos diversos
	Centelhas	Emmanuel
	Estamos vivos	Espíritos diversos
1993	*Tesouro de alegria*	Espíritos diversos
	Semente	Emmanuel
	Chico Xavier – mandato de amor	Espíritos diversos
	Migalha	Emmanuel
	Revelação	Jair Presente
	O ligeirinho	Emmanuel
	Bênçãos de amor	Espíritos diversos
	Gotas de paz	Emmanuel
	Mentores e seareiros	Espíritos diversos
	Tempo e nós	Emmanuel / André Luiz
	Compaixão	Emmanuel
	A volta	Espíritos diversos
	As palavras cantam	Carlos Augusto
	Esperança e luz	Espíritos diversos
	Preito de amor	Espíritos diversos
	Abençoa sempre	Espíritos diversos
1994	*Pássaros humanos*	Espíritos diversos
	Viveremos sempre	Espíritos diversos
	Dádivas espirituais	Espíritos diversos
	União em Deus	Espíritos diversos
	Momento	Emmanuel
	Vida e caminho	Espíritos diversos
	Antologia da paz	Espíritos diversos
1995	*Pingo de luz*	Carlos Augusto
	Renascimento espiritual	Espíritos diversos
	Antologia da caridade	Espíritos diversos
	Notas do mais além	Espíritos diversos
	Indicações do caminho	Carlos Augusto
	Recados da vida maior	Espíritos diversos

	Palavras de Chico Xavier	Emmanuel
	Anotações da mediunidade	Emmanuel
	Plantão de respostas	Pinga-fogo II
	Elenco de familiares	Espíritos diversos
	Antologia da juventude	Espíritos diversos
	Antologia da amizade	Emmanuel
	Sínteses doutrinárias	Espíritos diversos
	Antologia da esperança	Espíritos diversos
	Antologia do caminho	Espíritos diversos
1996	*Doutrina escola*	Espíritos diversos
	Saudação do Natal	Espíritos diversos
	Paz e amor	Cornélio Pires
	Alma do povo	Cornélio Pires
	Paz e libertação	Espíritos diversos
	Novos horizontes	Espíritos diversos
	Oferta de amigo	Cornélio Pires
	Degraus da vida	Cornélio Pires
1997	*Toques da vida*	Cornélio Pires
	Pedaços da vida	Cornélio Pires
	Trovas do coração	Cornélio Pires
	Traços de Chico Xavier	Espíritos diversos
	Senda para Deus	Espíritos diversos
	Caminhos da fé	Cornélio Pires
	Caminhos da vida	Cornélio Pires
	Pétalas da vida	Cornélio Pires
1998	*Caminho iluminado*	Emmanuel
	Agenda de luz	Espíritos diversos
1999	*Escada de luz*	Espíritos diversos
	Canteiro de idéias	Espíritos diversos
	Trovas da vida	Cornélio Pires
	Perdão e vida	Espíritos diversos
	Viagens sem adeus	Cláudio R. Nascimento
2000	*O Evangelho de Chico Xavier*	Emmanuel
2001	*Amor e verdade*	Espíritos diversos
2003	*Tudo virá a seu tempo*	Elcio Tumenas
2004	*Missão cumprida*	Espíritos diversos
	Realmente	Espíritos diversos
	Chico Xavier inédito: psicografias ainda não publicadas	Espíritos diversos

2005	*A morte é simples mudança*	Flávio Mussa Tavares
2006	*Sementeira de luz*	Neio Lúcio
	Mensagens de Inês de Castro	Inês de Castro
	Do outro lado da vida	Paulo Henrique Bresciane
2007	*Abençoando nosso Brasil*	Espíritos diversos
	Deus conosco	Emmanuel
	Um amor muitas vidas	Espírito de Cezinha
2008	*Militares no além*	Espíritos diversos